不安に克つ思考
賢人たちの処方箋

クーリエ・ジャポン 編

講談社現代新書

2633

はじめに

新型コロナウイルスの猛威が止まらない。一時はワクチンの接種が進めば、私たちの日常も次のフェーズに進むものと考えられていた。世界の有識者の論考も、「コロナ後」を見据えたものが多くみられた。だが、変異株はそう易々とパンデミックを過去のものにしてくれそうにはない。

新たな変異株が現れると、蓄積されてきた私たちの知識や経験は通用しなくなる。その振り出しに戻されるような終わりの見えない感覚が、さらに不安を募らせる。そして、これはウイルスに限ったことではない。

コロナ禍によって劇的なパラダイムシフトが起きようとしている。コロナ前の社会にそのまま戻ってはいけないという提言は、まさに私たちに「未知の世界」へ足を踏み出すように促すものだ。知らない世界へ足を踏み入れるときには、常に不安がつきまとう。

くわえて、社会がもともと抱えていた、環境破壊、格差と分断、資本主義の暴走などの問題がより鮮明になっている。経済活動が停滞し、私たちが立ち止まったからこそ見える問題もあれば、コロナ禍に深刻化したことで浮き彫りになった問題もある。これらの諸問題にも、もはや目を背けることはできない。

災害後に人びとが互いに助け合う束の間の理想的な共同体が形成されることを描いた『災害ユートピア』は、日本でも東日本大震災のあとに広く読まれた。しかし、このユートピアは長く続くわけではない。著者レベッカ・ソルニットは、本書に収録された記事のなかで「災害が引き起こす深刻な影響は、往々にして遅れてやってきたり、間接的だったりする」と記す。２００８年に起きた金融危機が、２０１１年の「ウォール街を占拠せよ」運動へ、そしてその後のエリザベス・ウォーレンやバーニー・サンダースの台頭につながったと指摘するように、コロナ禍の影響が顕在化するのは、収束から数年が経った後になるのだろう。

だが、ソルニットが「どん底の悲しみや激しい怒りは、希望と相容れないわけではない」とも語るように、社会の変化の兆しは少なからず見えている。シリーズ第3弾となる本書では、前2作と同様、世界の主要メディアから厳選された記事だけを翻訳・掲載するオンラインメディア「クーリエ・ジャポン」から、反響の大きかった有識者へのインタビューを中心に、「時代精神の転換」「コロナ禍と人間」「分断と新秩序」「資本主義の諸問題」「コロナ禍の中で働くということ」「文化という希望」の6つのテーマ別に再構成し、変化の萌芽を表すようなキーワードを提示しながら、世界の賢人たちの考えを紹介している。

ビル・ゲイツも著書を愛読する科学者バーツラフ・シュミルはなぜ、近代建築の巨匠ミース・ファン・デル・ローエが掲げた「**レス・イズ・モア**（少ないことは、豊かなこと）」の精神しか、環境問題と対峙する術はないと主張しているのか。

フランスの経済学者トマ・ピケティが「**バラモン左翼**」と呼ぶ、左派政党を支持する高学歴層の台頭や、イギリスの作家デイヴィッド・グッドハートが「**15対50問題**」と警鐘を鳴らす知的エリートの増加は、格差社会にどんな負の影響をもたらすのか。

ハーバード・ビジネススクールのショシャナ・ズボフ名誉教授が提唱する「**監視資本主義**」の脅威は、デジタル化が進んだコロナ後の社会においてさらに深刻化してしまうのか。

社会の激変期を迎えたいま、私たちを不安にさせる物事はあまりにも多い。だが、変異株も徐々にデータが集まり、対処法が解明されていくことで懸念が軽減されるように、私たちを待ち受ける「大転換後の世界」も、その兆しを知ることが不安を取り除く一助になるのではないかと思う。

レベッカ・ソルニットは、変革のなかで既存のシステムにおける大切なものや大切でないものが鮮明になるさまを「春の雪解け」に例える。氷が解けることで、冬のあいだは行くことができなかった場所にも行けるようになる、と。未知の世界への旅には不安が伴うが、本書に掲載した19人の主張は、私たちの不安を取り除き、たどり着くべき場所へと誘う羅針盤になるに違いない。

クーリエ・ジャポン編集部

※本文の内容はそれぞれの元記事が掲載された時点のものです。

目次

第2章　分断と新秩序 ―― 93

序章　時代精神の転換

ユヴァル・ノア・ハラリ×ルトガー・ブレグマン
テクノロジーの加速・デジタルの限界

「科学が大成功を収め、政治が失敗した」――ユヴァル・ノア・ハラリ

右　ユヴァル・ノア・ハラリ　Photo: Julien Weber/Paris Match/Contour by Getty Images
左　ルトガー・ブレグマン　Photo: Simone Padovani/Awakening/Getty Images

«YES Online Conversation with Yuval Noah Harari, Rutger Bregman and Zanny Minton Beddoes» 21/2/11
ユヴァル・ノア・ハラリ「歴史で大きな出来事が起きるには、真実と虚構の両方が必要です」COURRIER JAPON 21/7/25

Yuval Noah Harari　１９７６年、イスラエル生まれ。歴史学者、哲学者。ヘブライ大学歴史学部の終身雇用教授。人類の歴史をマクロ的な視点で読み解いた『サピエンス全史』『ホモ・デウス』などで知られる。近著に『21 Lessons: 21世紀の人類のための21の思考』（邦訳はいずれも河出書房新社）。

Rutger Bregman　１９８８年生まれ、オランダ出身の歴史家、ジャーナリスト。ユトレヒト大学、カリフォルニア大学ロサンゼルス校（ＵＣＬＡ）で歴史学を学ぶ。広告収入に一切頼らないジャーナリストプラットフォーム「デ・コレスポンデント」の創立メンバーでもある。著書に、人類はいかに生き残ってきたかを描き、世界的なベストセラーとなった『Humankind　希望の歴史』『隷属なき道——ＡＩとの競争に勝つベーシックインカムと一日三時間労働』（邦訳はいずれも文藝春秋）など。

全世界がパンデミックに見舞われた２０２０年。ユヴァル・ノア・ハラリはこの年を「科学が成功を収め、政治が失敗した年」と言うが、この危機によって世界はこれからどう変わっていくのか。英「エコノミスト」誌の編集長ザニー・ミントン・ベドーズが司会

を務める、ハラリとルトガー・ブレグマンのオンライン対談は、パンデミックが社会に与える影響、さらに科学の進歩とは裏腹に私たちの生活に蔓延したフェイクニュースについて語る。

科学は大成功だったが……

――まず「2020年はどんな年だったのか」ということについて伺いましょう。このパンデミックで二人の世界観は変わりましたか？　22世紀のルトガー・ブレグマンやユヴァル・ノア・ハラリが本を書くとき、このパンデミックの記述は1段落で終わるのでしょうか。それとも数ページが割かれるのでしょうか。私たちが経験したことは、どれくらいの規模の変化をもたらすのでしょう？

ハラリ　パンデミックがどれくらいの規模の変化をもたらすのか。それはまだわかりません。私たちは変化の真っ只中にいるので、これが「歴史上最大級の事件だ」という気分になりやすいですが、もしかしたら50〜60年後には、ほとんど誰もこのパンデミックを覚えていない可能性もあります。

第一次世界大戦を上回る死者数を出した1918年のインフルエンザの流行のことをほとんどの人が長い間、忘れていたのと同じです。私が知るかぎり、1918〜19年のインフルエンザの流行に関する有名な芸術作品は一つもありません。すべてはこれからの数週間、数ヵ月間に下される決定で決まっていくのでしょう。

大局的に見れば、２０２０年は科学が大成功を収め、政治が失敗した一年でした。疫病を理解し、対策を実施していくことに関して、今回は歴史上のどの疫病よりも迅速かつ優秀でした。黒死病のときは誰も何が起きているのか、わかっていませんでしたし、どうすれば感染拡大を食い止められるのかもわかっていませんでした。治療薬やワクチンの開発を考える人は、どこにもいませんでした。

１９１８〜１９年のインフルエンザ流行のときも、当時最も優秀だった世界の研究者たちが病原体を突き止めようとしました。しかし、彼らが提案した疫病対策は効果がほとんどなく、ワクチン開発はすべて失敗したのです。

それに比べると、新型コロナウイルス感染症（COVID-19）では、2週間ほどでウイルスが正確に特定され、感染の有無を調べる検査も開発できました。研究者のあいだでは数ヵ月もしないうちに、どんな対策をとれば感染の連鎖を食い止めるのに最適なのか、というコンセンサスもできあがりました。そして一年もしないうちに、有効なワクチンが複数できました。

科学は大成功だったのです。人類が病原体との闘いでこれほど威力を示したことは、いまだかつてありませんでした。私たちは、ウイルスよりもはるかに強かったのです。

しかし、研究者は政治家ではありません。研究者の仕事は道具を提供することであり、その道具を使うのが政治家の仕事です。そして2020年は政治家が大失敗した年でした。国のレベルでも、グローバルなレベルでも大失敗でした。

一部の国々は、疫病を封じ込めましたが、アメリカやブラジル、イギリスなど、多くの国々では国家の指導者が最悪の政策を実施しました。

グローバルなレベルでの政治の失敗はさらにひどいものでした。パンデミックが始まってから1年以上経っても、グローバルなリーダーシップは見当たらず、ウイルス対策や経済対策をどうするのか、いまだに行動計画が定まっていないのです。

その代わりに、各国はワクチン軍拡競争とでもいうべきものに精を出しています。まるで競技であるかのように、各国がワクチン接種を終えた国民数を競い合っているのです。しかし自国民だけにワクチン接種をしても、本当の防御が得られるわけではありません。イスラエルやイギリスが住民全員のワクチン接種を済ませたとしても、ブラジルや南アフリカやインドでワクチンが効かない新しい変異株が生まれてしまえば、また感染の新しい波が押し寄せてくるのです。

ウイルスが世界のどこかで広がっているかぎり、すべての人が危険にさらされる状況は変わりません。これは科学的には基本中の基本なのですが、残念ながら政治の世界ではそうなっていません。

「時代精神の転換が起きた」

――「科学は成功、政治は失敗」というユヴァルの話は、非常にわかりやすいです。ルトガーはこれに賛成ですか？

ブレグマン　私はユヴァルより楽観的というか、希望を持っています。私にとって衝撃だったのは、パンデミック初期の2020年4月にイギリスの経済紙「フィナンシャル・タイムズ」が掲載した社説です。

フィナンシャル・タイムズは、世界を代表する経済紙です。その社説に「ここ40年の政策の方向性を反転させることも検討すべきだ」と書かれていたのです。つい5年ほど前まで「非現実的」「無茶だ」と言われて見向きもされてこなかったアイデアが、メインストリームに入ってきたのです。私が個人的に力を注いできたユニバーサル・ベーシック・インカムも、今回の危機で注目されました。ほかにも富裕層への課税強化といった話も出てきました。国家の役割を再考する動きが出てきています。

この40年間、私たちが聞かされてきたのは、「国家ができるのは、せいぜい全能なる市場のお手伝いをすることくらいだ」という話でした。「国家の役割は、人びとに良質な教育を与え、財政を健全に保つことだけであり、それ以外のことには手を出すな」と言われてきたのです。

ところがパンデミックが起きたことで、「もしかして国家が財源を豊富に持ち、するべきことがやれる仕組みが整っているのは、ものすごく役に立つことなのではないか」と人びとが気づくようになったのです。イスラエルを見れば、国家が機能する仕組みを持っていると、対策を迅速に進められることがわかります。時代精神の転換が起きたと私は感じています。

トマ・ピケティのような経済学者が突然、出現したかと思ったら、著書が世界的大ベストセラーになり、いまやメインストリームの思想家です。もちろんあの本を買った人が全員、読み通したのかどうかは疑わしいのですが、私の家の本棚のどこかにも並んでいるわけです。

ピケティだけでなく、経済学の分野では、次々とこうした転換が起きています。そこが今回の危機が２００８年の金融危機と異なるところです。２００８年の金融危機も大きな危機でしたが、あのときは選択肢が私たちの前に用意されていませんでした。

今回のパンデミックは、第一次・第二次世界大戦に匹敵する大きな転換点とはいえないかもしれませんが、1970年代のオイルショックのような出来事なのではないかと考えています。オイルショックがきっかけで、ジョン・メイナード・ケインズの思想にもとづいた経済政策の時代が終わり、ネオリベラリズム（新自由主義）の時代が始まりました。その新自由主義の時代が、今回のパンデミックで終わったのではないか。私はそう考えています。

コロナで監視社会が当たり前になる

——さきほどユヴァルが「科学の成功」だったと指摘していたところに少し戻ってみましょう。

科学の勝利には異論の余地はありませんが、2020年は「テクノロジーの加速」も目立ちました。ユヴァルは、テクノロジーの力を警戒していますよね。そこで質問ですが「パンデミックによってテクノロジーがもたらす変化が加速している」という見方に賛成ですか。これまでの著作では、こうしたテクノロジーがもたらす変化を悲観的に論じているようでしたが、それはいまも同じですか。それとも、多少は楽観的になったところもあるのでしょうか。

ハラリ　「加速」という言葉が適切なのかどうかは、ちょっとわかりません。私に言わせれば、変化が単に「加速」したのではありません。パンデミックのプレッシャーにさらされながら、「これからの世界をどうするのか」「これからの経済をどうするのか」「これからの教育制度をどうするのか」といった非常に重要な事柄を、非常に短期間で次々に決めていったのです。拙速な決定が多かったのは、かなり危険です。

パンデミックの前に、拙著で未来のシナリオを書いたことがあります。別に予言をするつもりはなかったのですが、そのとき可能性の一つとして書いていたことが、実際に起きてしまいそうな気がしています。私自身は事態がそうなってほしいとは望んでいないのですが、いろいろなことが拙速に実施され、そうした政策が正当なものとして社会に受け入れられてしまっています。

たとえば、暮らしのあらゆる部分でデジタル化が進んでいます。いまこの対談はテレビ会議システムでやっていますが、1~2年前は、そんなことはありえませんでした。でも、いまはそれが当然のこととして受け入れられています。私はそれが悪いことだと言っているのではありません。

しかし、教育制度をデジタル化する非常に大きな決定も下されました。新しい監視システムも整備されました。これは非常に恐ろしいものです。今回の危機がきっかけで、いままでは権威主義体制の国でしか使われていなかった監視社会の仕組みが、民主主義国の多くで採り入れられました。導入された仕組みの一部は危機が過ぎても残るはずです。危機の真っ只中に、公的な議論を経ることなく、次々と超高速でこうした決定が下されてしまったのです。ですから未来の人が50年後に新型コロナ危機を覚えているとしたら、それは世界全体でデジタル化が進み、監視社会が世界中の国々で当たり前になる転機だった、と記憶するからなのではないか。そんなことを危惧しています。

ブレグマン　その点について一言付け加えると、今回の危機ではデジタル化の限界もはっきりしました。たとえば教育の分野ですが、かなり前からこんなことが言われてきたのです。「教育に関するもののすべてをデジタル化すべきだ。そうすればみんなが世界最高の教師の講義をユーチューブで見られるようになって、どんな教師もスーパースター教師にはかなわないから、世界中の教師が失職するぞ」

でも、パンデミックの数ヵ月で、身体と身体で向き合うことが大事だと身に染みてわかったはずです。人との出会いなしに、真っ当な教育はありえません。私たち人間は、まだ身体をもった生き物だったのです。脳をクラウドにアップロードする時代にはなっていないのです。今回の危機で、そのことを私たちは学べたと思っています。

監視社会化については、私も憂慮しています。しかし、「ケンブリッジ・アナリティカが私たちの脳をハイジャックしている」といった類の話は荒唐無稽です。オンライン広告の有効性についてエビデンス（根拠）を調べると、この種のアルゴリズムは、往々にしてユーザーのジェンダーすら見分けられていないことがわかっています。ケンブリッジ・アナリティカのデータセットに関する話も、大部分が誇大広告だったと考えたほうがいいでしょう。

いまは「機械学習」「AI」云々を語って多額のお金を稼ぐ会社が多いですが、そうした会社が実際に持つ技術は、お世辞にも賢いとはいえないアルゴリズムが大半で、世界を理解できていないことのほうが多いのです。

機械学習やAIについて言われていることは、もしかしたら未来には実現するのかもしれません。しかし、少なくともいまはまだ実現していませんし、今後も当分は実現しそうにありません。

人間は「真実」と「虚構」を信じる

――いまの話に関連するかもしれませんが、いまは事実と虚偽のせめぎ合いのようなものも起きています。たしかに2020年は科学や専門家への信頼が高まり、科学の著しい進歩があった年だったかもしれません。しかし2020年は、陰謀論やフェイクニュースが政治に影響を与えた年でもありました。真実と虚偽の2つのうち、どちらのほうが長く影響を及ぼすものになるのでしょうか。

ハラリ　その2つは、どちらも併存していきます。「真実と虚構は共存できない」と考える人もいるようですが、それは誤りです。「専門家の意見を信じる人なら荒唐無稽な陰謀論を信じるわけがない」と考えるのが間違いなのです。歴史を見れば、そのことがわかります。ある分野では超絶的なナンセンスを信じこんでしまう人が、実務に取り組むとき、科学や専門家の意見にちゃんと耳を傾けることは珍しい話ではありません。

極端な例を挙げるなら、アドルフ・アイヒマンのような人たちです。オランダやハンガリーからアウシュヴィッツまでどうやって人を運ぶのか。当時の最先端テクノロジーである電車のダイヤを作り、当時の最先端科学を使ってガス室を設計し、その運用を決めていきました。非常に合理的な人たちです。最先端の科学技術に関心を持ち、専門家の意見に耳を傾ける人たちであり、ぼやっとしたフェイクニュースには一切見向きもしない人たちです。

ところが、なぜ彼らがそうしたことをしたのか。その動機を探ると、彼らが完全なるナンセンスとしか言いようがない疑似科学を信じていたことがわかります。「ユダヤ人が世界を支配している」という陰謀論にもとづいた疑似科学です。

人が変わったわけでもなければ、脳が換わったわけでも、心が換わったわけでもありません。ただ、ヒトラーの演説を聞くと、まるで前頭前野がシャットダウンし、話の真偽を判定する批判能力や合理的思考力がストップしてしまうのです。そして鉄道のダイヤを作る任務にまた取り組むと、再び彼らの前頭前野が動きだし、緻密かつ合理的、数学的に考えはじめるのです。

同じことは9・11の同時多発テロ事件にも言えます。テロの実行集団は、これをすれば「自分は天国に行き、無数の処女が迎えてくれる」という理論を信じる人たちだったのかもしれません。しかしあの計画は、非常に合理的で、緻密な思考ができなければ実行できないものでもあったのです。

これは見落とされがちなのですが、歴史で大きな出来事が起きるためには、真実と虚構の両方が必要です。

たとえば、原子爆弾の製造です。原子爆弾の製造には、物理学が示す真実が必要です。とはいえ「$E=mc^2$」と言っているだけでは、誰も原子爆弾作りを手伝いにきてくれません。この方程式だけでは、誰のやる気も引き出せないからです。「$E=mc^2$」が選挙運動のスローガンになることはまずありません。

人びとのやる気を引き出すには、宗教や神話、政治イデオロギー、ある種の経済理論などが必要なのです。そういったものを使って初めて、数十万人を説得して、原子爆弾の製造に協力してもらえるのです。単に物理学者やエンジニア、技術者だけを説得すればいいのではありません。彼らのための食糧を生産する人の協力も欠かせません。

なお、このような団結に使う神話や理論、イデオロギーは、必ずしも真実でなくていいのです。フェイクニュースを束ねただけの完全なナンセンスでも、うまくいくときもあります。

具体例をもう一つ挙げましょう。

いまアメリカでは、リベラル派や民主党支持者が、共和党支持者の多くについて「非合理的で、フェイクニュースや陰謀論を信じている」と言って批判しています。しかし、そんな批判をしている民主党支持者も、共和党がゲリマンダリングという選挙区分けをするときは、共和党が非常に合理的であり、社会学と経済学の最新ツールを使い、信頼できるデータと信頼できないデータを上手に見極めていることを認めるわけです。

「最後に勝つのは真実だ」と、誤って信じる人は世の中に多くいます。フェイクニュースや陰謀論を信じる人に新型兵器を作るのは無理だという理屈です。しかし、人間に関して言うならば、それは間違いです。人間は真実と虚構の両方を信じられるのです。むしろ、成功するには、その両方を信じるのが必要だと言えるくらいです。

――ルトガーは、いまユヴァルが指摘した人間の能力を、どう制御すればポジティブな結果につなげられると考えますか。

ブレグマン　いまから30年ほど遡り、90年代前半の話をしましょう。あの頃はシニカルな言動がかっこいいとされる雰囲気が世の中にありました。

西側諸国ではシニシズムが大人気でした。ニルヴァーナのようなバンドが『スメルズ・ライク・ティーン・スピリット』で「さあ、やってきたんだから、オレたちを楽しませてくれ」などと歌っていました。映画『ファイト・クラブ』の頃になっても、ブラッド・ピットが「オレたちは広告のせいでクルマと服を追っかけ、嫌でたまらない仕事をしながら、要らないモノを買いあさってばかり」と言っていました。

それが、ベルリンの壁が崩壊した後の近代人の生活だったのです。資本主義が勝ち、歴史が終わり、闘う大義も理想もなくなったのだから、とにかく自分の生活をエンジョイしようという発想です。

10年前か12年前だったか、学生にデモに行った経験はあるかと尋ねたら、行ったことがあると答えた人はごく一部でした。いま同じ質問をイギリスやアメリカ、オランダの大学でしたら、半分くらいがデモに行ったことがあると回答します。そこに大きな転換が見られます。

ブラック・ライヴズ・マター運動は、アメリカ史上最大の抗議活動です。グレタ・トゥーンベリが参加する気候正義の運動も、欧州の政治家や政策立案者に大きな影響を及ぼし、その成果の一端が「欧州グリーンディール」にも現れています。

だから、私は希望を持っています。信念を持って「世の中は変えられる」「こんな世界のままでいいわけがない」と考えることが、前よりもかっこいいものになってきているのです。

第１章　コロナ禍と人間

レベッカ・ソルニット
パンデミック後の「災害ユートピア」

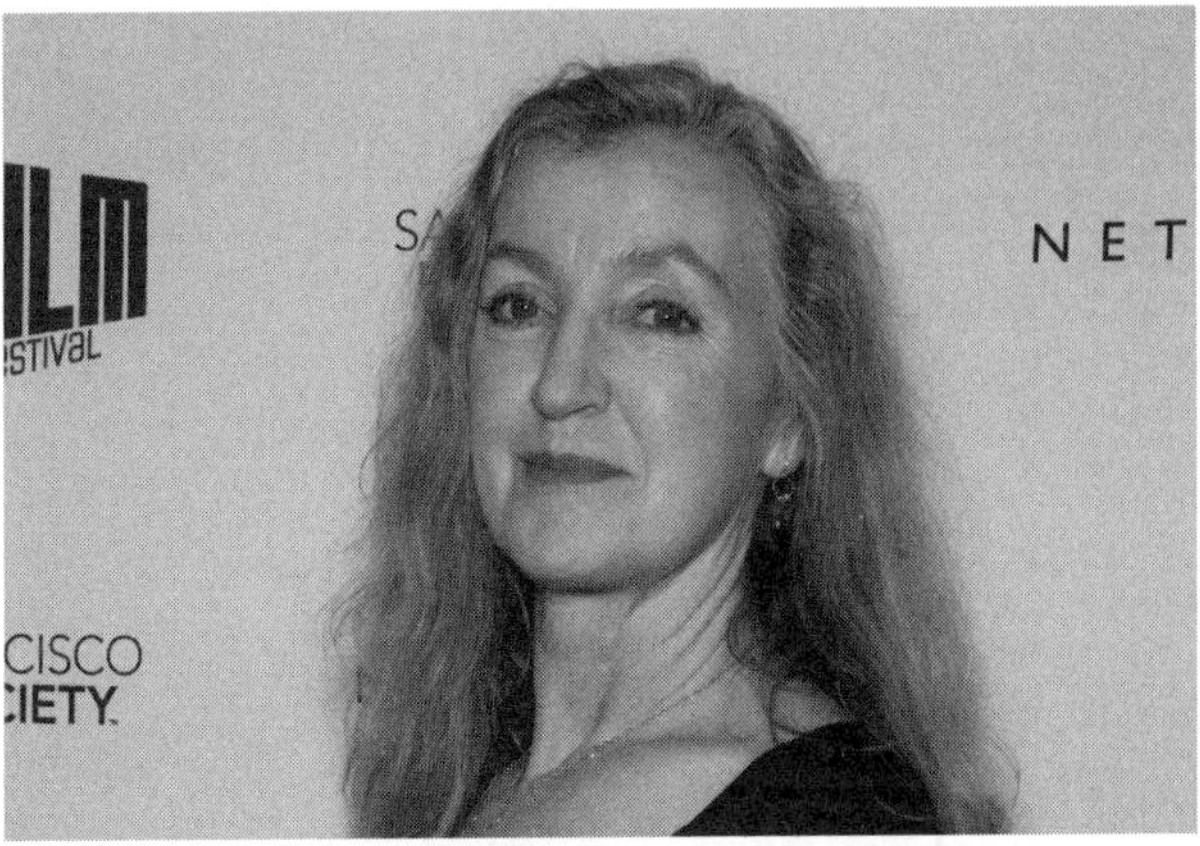

「パンデミック前の日常生活は、絶望的なまでに行きづまっていた」

Photo : Miikka Skaffari / FilmMagic/Getty Images

«'The impossible has already happened': what coronavirus can teach us about hope» The Guardian 20/4/7, Text by Rebecca Solnit
「レベッカ・ソルニットが読み解くコロナ後の〝希望〟——災害は常識をくつがえし、不可能を可能にする」COURRIER JAPON 21/1/1

Rebecca Solnit　1961年生まれの米国の作家、歴史家、活動家。大規模災害のあとに立ち上がる理想的なコミュニティーについて論じた『災害ユートピア』（日本語版は亜紀書房）、男性（man）が女性に対し偉そうに説明、アドバイス（explain）をするという意味の「マンスプレイニング」の語を広めた『説教したがる男たち』（左右社）をはじめ、多くの話題作を発表している。他にも『わたしたちが沈黙させられるいくつかの問い』『ウォークス 歩くことの精神史』（以上、左右社）、『それを、真の名で呼ぶならば』（岩波書店）など。『River of Shadows : Eadweard Muybridge and the Technological Wild West』（未邦訳）で全米批評家協会賞。

「マンスプレイニング」という言葉が生まれるきっかけとなった著書『説教したがる男たち』で知られる米エッセイスト、レベッカ・ソルニット。彼女は2009年の著作『災害ユートピア』で、大きな災害のあとには人びとが互いに助け合う束の間の「ユートピア」が出現すると指摘した。そのソルニットは、コロナ後の世界にどのような希望を見出しているのか。英紙に寄稿したエッセイを全訳でお届けする。

私たちは岐路に立っている

災害は急にやってきて、いつまでも終わらない。未来は、過去とは決定的に違うものになる。

この国の経済、優先事項、認識、すべて2020年のはじめとは違っている。具体的な事例に驚くが、ゼネラル・エレクトリックやフォードといった企業が人工呼吸器の生産を開始し、防護服の争奪戦が起きている。

活気のあった街路は静まり返ってひと気がなく、経済は急降下。あって当たり前のものがなくなり、不可能だと思われていたもの――労働者の権利と利益の拡充、捕虜の解放、米国の2～3兆ドルの支援金――が、実現した。

「crisis」（危機、病気の峠）という言葉は、医学用語では患者が回復するか、死にいたるかの岐路を意味する。「emergency」（緊急事態）は「emergence」（出現）や「emerge」（現れる）からの派生語で、慣れ親しんだ場所から追い出され、至急、新しい環境に順応しなければならなくなったイメージ。「catastrophe」（大惨事、大災害）は、突然の転覆という語に由来する。

私たちは岐路に立っている。正常だと思っていたところから放り出され、すべてが急にひっくり返った。いま、私たちがすべきことは——とくに病気ではなく、最前線で働いておらず、経済的または住宅的な困難に直面していないのであれば——この時期に求められることは何か、できることは何かを考えること。

「災害」（不運とか、星回りが悪いというのが元々の意味）は、この世界と私たちの世界観を変えた。生活の中心が変わり、優先事項が変わった。

新たなプレッシャーのもとで脆弱なものは壊れ、強靱なものは持ちこたえ、隠蔽されていたものが明るみに出た。変化には可能性があるだけでなく、変化に押し流されもする。優先事項が変われば、自分自身も変わる。死ぬかもしれないという危機感が、自分の生活や命の尊さに目覚めさせる。

学校の友だちや同僚と会えず、新しい現実を見知らぬ他人とシェアしているうちに「自分」の定義すら変わるかもしれない。自我は、自分を取り巻く世界によってもたらされ、たった今、私たちは違うバージョンの自分に気づく。

停滞しているように見える精神は今、フル稼働している

パンデミックによって生活が根底から変わり、私の周囲には、仕事に集中できなくなった、生産性が上がらないと心配する人がいる。それは、皆が、ほかのもっと大事な仕事を

するようになったからではないかと思う。

病み上がりのときや、妊娠中や成長期にあるとき、人は何もしていないように見えて、じつはフル稼働している。意識に上らなくても、身体は成長し、修復にあたり、細胞をつくり、変容し、耐えている。

この惨禍の科学と統計を必死で読み解こうとしているとき、私たちの精神も同じようにフル稼働している。社会経済の大変革に適応しながら、災害がもたらした教訓を研究し、予期せぬ世界に備えている。

災害によって得られた第一の教訓は、世界がつながっているということ。それどころか、災害はそうしたつながりを知る「短期集中コース」だと、１９８９年のサンフランシスコ地震で中規模の災害を体験し、その後、大規模な災害（２００１年９月11日の同時多発テロ、２００５年のハリケーン・カトリーナ、２０１１年の東北地方太平洋沖地震と日本の福島原発事故など）について執筆してわかった。

大きな変革のさなかで、これまでどっぷりと浸かっていた政治的、経済的、社会的、生態学的なシステムがはっきりと見える。強いものは何か、弱いものは何か。何が壊れ、何が大切で、何が大切でないのか。

それは、春の雪解けのようだと思うことがある。氷が解けて、水がふたたび流れだし、冬のあいだに行けなかったところにボートで移動できるようになったみたいだと。

氷は力関係の協定のようで、それを私たちは現状と呼ぶ――安定しているように見えて、恩恵を受けている人びとは、現状維持を主張する。だが、それがあっという間に様変わりし、爽快であったり、恐ろしかったり、どちらでもあったりする。

システムが壊されても、そこで恩恵を受けていた人びとは、人命を守ることよりも、その温存や再建を考える――保守派や企業のトップが株価のために仕事復帰をうながすのを見れば、その結果として、死という代償を払うのは仕方がないとしているのがわかる。

「一般人はパニックになる」というエリートの誤解

危機下では権力者がより大きな権力を握ろうとする。「トランプの司法省」は憲法上の権利を止めようとしているし、富裕層はより多くの富を得ようとする。共和党の上院議員2人が機密情報を利用し、感染拡大前に株を売却して利益を得ていたと、非難された（だが、2人は疑惑を否認）。

災害学者は、一般の人びとがパニックを起こすのではないかと考えて過剰反応するエリートに「エリートパニック」という言葉を使う。エリートが巷で「パニック」や「略奪」が起こると言うときは、たいてい、一般の人びとが生き延びたり、他人を思いやるために必要なことをしたりしているのを誤解している。ときには危険から速やかに立ち去るのが賢明だし、生活必需品を集めて分かち合う利他性が必要なこともある。

そうしたエリートは、人命や地域社会の安全よりも、自分の利益や財産を優先して考えがちだ。1906年4月18日、サンフランシスコが大地震に襲われたとき、一般の人びとが混乱して脅威になるとの考えから、米軍が大挙して市内に出動した。市長は、略奪者を「射殺せよ」と声明をだし、兵士は自分たちが秩序の回復にたずさわっていると思った。

だが、実際には防火帯を下手に踏み荒らして市内に火を広げ、命令に従わない市民を撃ったり、叩いたりしたにすぎない（命令が、自分や隣人の家を全焼させるという内容のこともあった）。

99年後、ハリケーン・カトリーナの直後にも、同じことが起きた。ニューオーリンズの警察と白人の自警団員が、財産と権限を守るという名目で黒人を銃で撃ったのだ。地元当局、州および連邦政府は、身動きがとれない住民の手当をし、大多数の貧しい黒人の住民は、収容して管理下に置かなければならないと主張した。災害の被害者として救済しようとはしなかった。

主要メディアも、ハリケーンの余波の混乱に乗じた略奪を心配していた。大手チェーンストアの大量生産品の在庫のほうが、食糧や飲料水を必要とする人びとや、屋根に取り残されたお年寄りの救済よりも大事であるかのように。

1500人近い死者がでたのは、悪天候が原因というよりも、悪政のせいだ。米陸軍工兵隊の堤防は決壊し、ニューオーリンズ市は貧民のための避難計画を講じず、ジョージ・W・ブッシュ政権は必要な救援物資をすぐには送らなかった。いまも同じ算段がなされている。

ブラジルの野党のひとりが、ブラジル右派のジャイール・ボルソナロ大統領についてこんなことを言った。「彼は、国民の命をないがしろにするような、倒錯した経済的利益を描いている。自分たちの利権を維持することしか考えていない」(ボルソナロは、自分は労働者と経済を守ろうとしていると主張)。

雑貨チェーン店「ホビーロビー」を創設したキリスト教福音派の億万長者は、神の導きがあったために閉店の命令に従わず、従業員を業務につかせていたと主張(その後、全店一時閉店した)。トランプの献金者であるリチャードとエリザベス・ウーライン夫妻が経営する「ユーラインコーポレーション」は、ウィスコンシン州で働く従業員宛てに「感染のことも、あなたの憶測も、同僚に言わないように。そんなことをすれば、オフィス内に不必要なパニックを生む」というメモを送った。

給与処理業務を手掛ける「ペイチェックス」の創業者兼会長であるトム・ゴリサノは、

「経済活動をやめるダメージのほうが数人の死者が出るよりも大きい」と発言（ゴリサノは、発言に誤解を招く表現があったとして、謝罪している）。

愛ある行動を「自由の侵害」とみなす保守派

歴史をひもとけば、いつの時代にも、人間の命よりも生命をもたないモノを尊重し、邪魔されずに事業を行うために賄賂を払い、搾取工場や炭鉱で子どもを働かせて死なせたり、労働者を命の危険にさらしたりする業界の大物はいた。気候変動について知りながら、あるいは知ろうとせず、化石燃料の採掘や燃焼を推進する人もいる。

いつの時代も、富はまず、運命共同体から抜け出る、あるいは少なくとも社会との関係を断てると思えるようになるために使われてきた。金持ちは往々にして保守的だが、保守派は、どんな経済状態であろうと、それ以上に金持ちと手を組む傾向にある。

誰もが自分の身は自分で守らなければならない開拓者だというマッチョな幻想を崇拝する保守派は、すべてがつながっているという考えに怒る。そうした人びとは、気候変動をものともしない――自動車や工場からの排出物が、農作物や、海水位や、森林火災などの諸々に影響し、世界の運命を左右するという科学にも。

すべてがつながっていれば、ひとつひとつの選択や行動や言葉がもたらす結果を精査しなければならない。私たちは、それを愛ある行動だと思うけれど、彼らは自由の侵害だとみなす。その自由とは、すなわち、自己の利益への飽くなき追求に制限がないことでしかない。

結局のところ、保守派と企業のトップの多くは、そんな科学は足枷《あしかせ》で、認めるわけにはいかないと思っている。なかには、自分たちに都合のいいルールや事実だけ採用すればいいと主張する人もいる。まるで好きに選べる自由市場の商品か、思いつきで変えられる商品であるかのように。

「科学や批判的思考（クリティカルシンキング）を否定してきた信心深い超保守派の存在が、コロナウイルスの蔓延という危機に対応するうえで悩みの種になっている」と「ニューヨーク・タイムズ」紙でジャーナリストのキャサリン・スチュワートは書いている。

米国、英国、ブラジルなど多くの国々で、為政者はパンデミックの可能性をなかなか認めようとはしなかった。もっとも重要な仕事を怠ったばかりか、失策が重要な焦点とはならないとした。

パンデミックが経済恐慌をもたらしかねないなか、フィリピン、ハンガリー、イスラエルや米国では、それが独裁的な権力を握る機会に利用された――最大の問題はあくまで政治にかかわることだと再認識し、そこに解決策を見出すのだ。

人との距離を変えたコロナ、しかし隣人愛も生まれた

嵐が弱まれば、視界の妨げになっていた大気中の浮遊粒子状物質が清められて、遠くまではっきり見えるようになる。嵐が去れば、重病や事故から回復した患者がそうであるように、状況や今後の進むべき道がわかる。現状という氷に閉ざされていたあいだは不可能だと思えたことを、変えられると思うかもしれない。自分自身やコミュニティーや生産システムや未来に違った感覚をもつかもしれない。

先進国に住む多くの人にとって、パンデミック直後に訪れた一番大きな変化は、空間に関することだろう。家があれば自宅で過ごし、他人との接触を避ける。通学や通勤はせず、会議のために集まらず、ちょっとした用事やジム通いなど不要不急の外出は控え、パーティー、バー、クラブ、教会、モスク、礼拝堂などには行かず、多忙な日常から逃れた。

フランスの哲学者シモーヌ・ヴェイユは、遠く離れた友人にこんな手紙を書いた。「この距離を大切にしましょう。友情でしっかりと結ばれたこの距離を。たがいに想い合えていなければ、離れないのだから」。私たちは、たがいを守るために接触を断つ。物理的な距離を保たなくてはならないとしても、人びとは弱者を助ける方法を見つけている。

気候運動家のレナート・レデントール・コンスタンティーノは、フィリピンから私に宛ててこう書いている。「今日、人類が生き延びてきた多くの理由を思い出させるような隣人愛を目の当たりにした。日々、この近辺や他の都市、国々で、勇気あるすばらしい市民活動に出合う。ほんの2〜3人による略奪行為は、絶望、暴力、無関心、傲慢がはびこり、指導者の忠告を聞こうとしない、とされる大勢の頑固な人びとによって抑えられていくのではないかと思う」

コロナを新自由主義再考の契機に

感染拡大の連鎖から離れられないとき、これまでのつながり、移動手段、必要な商品の供給方法などを再考してはどうかと思う。対面接触の価値を以前よりもありがたく感じるかもしれない。

バルコニーで歌って励まし合ったり、医療従事者に拍手を送ったりしたヨーロッパの人びとや、郊外の住宅街で屋外にでて踊ったり歌をうたったりしたアメリカ人は、これまでとは違う帰属意識を持つようになるだろう。私たちは、食糧の生産者、それを食卓に届けてくれる配送者に新たな尊敬の念を抱くようになる。

外出自粛はつらいけれど、経済活動を再開したり、忙しく飛び回ったりするのは気が進まず、外出を控える状態を続けることになるのかもしれない。医薬品や医療機器など、必需品の多くを別の大陸で生産してきた常識は、考え直したほうがよい。不安定な調達を強いられるサプライチェーンも、考え直したほうがいい。

つねづね、新自由主義の時代を特徴づけた民営化の波が「人間の心」の民営化の始まりだと考えていた。運命を共にするという感覚や社会の絆を弱めたのではないかと。災害の体験を共有したことが、プロセスを逆行させると期待したい。

ひとりひとりが全体とつながり、依存しあっているという新たな認識が、気候変動への有意義な行動をうながすかもしれない。大きな変革は、突然やってくることを学んだのだから。

「所有と消費で、われわれは力を使い果たす」と200年以上前にワーズワースが書いた。皆にいきわたるだけの充分な食糧、衣服、住居、医療、教育があると認める瞬間になるかもしれない――それらを手に入れる権利は、職業や収入によってはならないのだと。

パンデミックは、国民皆保険制度やベーシックインカムの保障に懐疑的だった人びとに対して、その必要性の証明になったかもしれない。災害直後は、意識や優先順位を変える大きな力が働く。

「どうせ死ぬなら命を懸けてみたい」

十数年前、私は『災害ユートピア』を書くにあたって、ニカラグアの詩人でサンディニスタ民族解放戦線のメンバー、ジョコンダ・ベッリをインタビューした。彼女は、1972年のマナグア大地震後の話をしてくれた。独裁政権による弾圧のなかで、地震が革命のきっかけになったと言っていたのが忘れられない。

「重要なことは何かわかっていた。大切なのは、自由と、自分の人生を決められること、行為主体性だと国民が認識していた。地震の2日後、独裁政権が外出禁止令と戒厳令を出した。被災したうえに抑圧されるというのは、ほんとうに耐えがたい。自分の命が一夜の地震に左右されると覚悟したとき、こう思った。『だったら私はもっといい人生を送りたい、そのために命を懸けてみたい。ひと晩で命を失うかもしれないのだから』。実りある人生でないなら、生きている価値がないことに気づいた。それは、被災中に起きた大きな意識の転換だった」

災害によって死を身近に感じるという共通体験により、多くの人びとが活動的になったり、些末なことにこだわらなくなったりして、市民生活や公共の利益といった大きな目的に向かうことに、私は何度も気づかされた。

災害は労働者の権利向上をもたらす

私はおもに20世紀の災害について執筆しているが、はるか昔の類似性を思い出す。黒死病だ。黒死病によって、ヨーロッパの人口の3分の1が失われ、英国では戦時税や賃金の上限に反対する農民一揆が起き、ことごとく鎮圧された。それでも、農民や労働者の自由への権利につながったことに変わりはない。

（2020年）3月、米国で緊急法制が可決され、多くの労働者が有給の病気休暇の権利を手に入れた。ホームレスの居場所の確保など、不可能とみなされていたことが、いくつか可能になった。

アイルランドは病院を国有化した。「絶対にやらないだろうし、できないことだと言われてきた」とアイルランドの記者がコメントしている。カナダは、失業者に4ヵ月のベーシックインカムを保障した。ドイツは、それを上回る保障をした。ポルトガルは、移民や亡命希望者をパンデミックのあいだは完全な権利をもつ市民として扱うとした。

米国では、労働者が大規模な運動を起こし、成果を上げている。「ホールフーズ」「インスタカート」「アマゾン」の従業員は、感染の危険性がある状態で働かされていることに抗議した（「ホールフーズ」はそれ以降、陽性反応が出た従業員に2週間の有給休暇を与え、「インスタカート」は従業員と店員への予防対策をするようになったと発表したが、「アマゾン」は感染予防のガイドラインに従っていると回答)。

大手スーパー「クローガー」では約50万人の従業員が新たな権利を手にしたり、昇給したりした。「アマゾン」は15州の司法長官から有給病気休暇を増やすように勧告された。こうした具体例から金銭面の契約の変更は可能だということが明らかになったのだ。

いまは初期段階、悪い変化はあとからやって来る

だが、災害が引き起こす深刻な影響は、往々にして遅れてやってきたり、間接的だったりする。2008年に金融危機が起きると、2011年に「ウォール街を占拠せよ」の抗議運動が起こり、富の不平等と、弱者を搾取するような住宅ローン、学生ローン、営利目的のカレッジ、健康保険システムなどが与える影響についての精査につながり、それがエリザベス・ウォーレンやバーニー・サンダースの台頭につながった。「ウォール街を占拠せよ」運動によって生まれた対話や、世界各国で起きた同様の抗議運動によって、権力者への批判や経済の公正への要求が高まった。公的な場での変化は個人から始まり、世界の変化は自我や優先順位や可能性に影響をおよぼす。

私たちはこの災害の初期段階に立ったばかりで、妙な静けさのなかにいる。1914年にドイツと英国の兵士らが一日だけ戦争をやめたクリスマスの休戦のように。銃声は聞こ

えず、兵士は自由に話をしている。戦いは中断された。所有と消費は、地球に対する戦いだとの見方がある。

新型コロナウイルス感染症が流行してから、炭素排出量は激減した。ロサンゼルス、北京、ニューデリーの上空が驚異的なまでに澄んでいると報告されている。

米国内の公園が観光客に対して閉ざされたことで、野生動物には有益な効果があった。2018年から2019年にかけて政府機関が公園を一時閉鎖したときは、サンフランシスコのすぐ北にあるポイントレイズ国立海浜公園のゾウアザラシが海岸を占拠し、いまでも交配と出産のシーズンに上陸している。

私たちの可能性はサナギのように未知数

もう一つ、心に浮かんだ類似性がある。イモムシはサナギになるとき、溶けてドロドロの液体になる。この過程では、どこまでがイモムシでいつから蝶になるのか、はっきりしない。生きたスープのような状態なのだ。生きたスープのなかで成虫細胞が羽のある成虫へと変態する。私たちのなかの最良のもの、明確なビジョンをもち、排他的ではないものが、成虫細胞でありますように——さしあたり、私たちはスープのなかにいる。

災害の結末は、定まってはいない。衝突は、ものごとが氷で覆われていないとき、固まったり、動かなくなったりしていないときに起きた——最良と最悪の可能性に満ちている。前に進めず、重大な変化の過程にいる。

自宅で多くの時間を過ごしている人びと、多くの時間をひとりで過ごし、予期せぬ世界に目を向けている人びとにとっては深遠なときでもある。往々にして感情を良い、悪い、幸せ、不幸せに分けるけれど、私は同じように浅い、深いに分けられると思う。

幸せだと思うことを追い求めるのは、どん底から這い上がるとき、孤独な生活、さまざまな苦しみから逃れるとき——幸せでないことは、往々にして失敗と定義づけられる。だが、哀悼、悲しみ、共感や団結から生まれる感情には痛みと同時に意味がある。悲しみ、恐れを抱いているとき、それは精神的なつながりを意識している印。

たしかに打ちのめされることではある。研究、分析、議論や検証に何十年とかかる。どのようにして、そしてなぜ2020年に突然、世界がじめじめとした未知の領域に入ってしまったのか。

希望は困難や苦難と共存可能

7年前（2013年）、パトリッセ・カラーズがブラック・ライヴズ・マター運動のミッションステートメントを書いた。「集団行動に希望とひらめきを与え、団結の力で変化をもたらす。悲しみと怒りに根ざしていても、未来を見すえて、夢を持つ」。

美しいのは、声明が希望に満ちていて、そこからブラック・ライヴズ・マター運動が始まり、変革が起きつつあるからだけではない。希望が、困難や苦難と共存できることを教えてくれるからだ。どん底の悲しみや激しい怒りは、希望と相容れないわけではない。なぜなら、人間は複雑な生物で、希望は万事良好というほど楽観的ではないのだから。

先行き不透明な状況のなか、衝突が起きるけれど、そのいくつかに勝つ可能性があるという希望はある。とはいえ、ここで陥りがちな危険な過ちの一つが、災害前は、すべてがよかったと思い、すべてを災害前の状態に戻そうとすることだ。

パンデミック前の日常生活は、すでに絶望的なまでに行きづまり、多くの人びとを排除していた。環境と気候の災害があり、性被害が横行していた。

いまはまだ、この緊急事態がもたらす全貌を把握するには時期尚早だが、その糸口を探すのは時期尚早ではない。その心構えがある人は多いはずだと思う。

グレタ・トゥーンベリ
世界で最も有名な環境活動家という生き方

「私の願いは気候活動家が必要なくなること」

Photo: Maja Hitij / Getty Images

Greta Thunberg: «It just spiralled out of control»Financial Times 21/3/31, Text by Leslie Hook

「『子供』ではなくなった環境活動家グレタ・トゥーンベリが語る『コロナと気候変動』」COURRIER JAPON 21/4/10

Greta Ernman Thunberg　２００３年生まれ。スウェーデンの環境活動家。２０１７年に「気候のための学校ストライキ」を呼びかけることで注目を集め、２０１８年には、国連気候変動会議で演説をおこない、毎週金曜に若者たちがおこなった抗議活動のシンボル的存在となった。日常生活でも二酸化炭素をできるだけ排出しない生活を送ることで知られる。

２０１７年に「気候のための学校ストライキ」を始め、世界の注目を集めたグレタ・トゥーンベリ。当時子どもだった彼女は18歳を迎え、かつての〝セールスポイント〟が使えなくなってしまった。「グレタ効果」はなぜ社会現象にまで発展したのか、そして「大人」になった彼女は、今後どのような戦略をもって環境問題に取り組んでいくのか。英紙記者が切り込んだ。

グレタ・トゥーンベリは数ヵ月前に18歳になった。けれど、ときどき自分でもそのことを忘れてしまう。

「じつは私、もう投票できるんですよ」

彼女はそう言ってニヤリと笑う。けれど、ついクセで「私たち子どもは」という言葉をしょっちゅう口にしてしまう。変化には自信があるトゥーンベリでも、今回ばかりは難しいようだ。なぜなら「私たち子ども」というフレーズこそ、彼女のメッセージの核心となっていたからだ。

トゥーンベリは一つのアイデアに支えられ、世界で最も有名な環境活動家になった。そのアイデアとは、「気候変動の現実に対して、子どもたちが世界の目を開かせなければならない」というものだ。

気候変動の「学校ストライキ」を始めたとき、トゥーンベリはわずか15歳だった。この活動のために授業をサボり、スウェーデン議会の外で座り込んだ。初めのうちは一人きりだったが、やがて見知らぬ数十人が加わり、いつの間にか数百人もの人びとが毎週金曜日に集まるようになった。

トゥーンベリのスピーチの力もあって運動は成長し、延べ数百万人の学生が参加した。彼女は1年間休学し、世界中で抗議活動を先導した。さらに、これまでにノーベル平和賞候補にもなっている。

だがいまや、世界は様変わりした。私たちが話した(2021年)3月中旬には、ヨーロッパのほぼ全域がなんらかのかたちでロックダウン状態にあった。

トゥーンベリは現在、ストックホルムの実家にいる。ズーム（Zoom）画面の背後には、父親のエクササイズ用バイクと鉢植えがいくつか置かれているのが見える。彼女は復学も果たし、もう金曜日に授業を休むこともない。パンデミックの渦中では、抗議活動もほとんどバーチャルでおこなわれているからだ。

社会現象に発展した「グレタ効果」

現状の良い面を探そうと、彼女がこの危機のなかで希望を見出しているか尋ねてみた。パンデミックにより、昨年（2020年）は地球全体で二酸化炭素の排出量が6％減少したのだ。しかし、彼女はこう言い放った。

「パンデミックは、何もポジティブなものは生み出していません。排出量が減少したのは、一時的で偶発的なものでした……。私たちの活動の結果ではありません。ですからこの状況は、気候変動活動とは何の関係もないのです」

だが一方で、パンデミックはたしかに教訓を与えてくれたと彼女は語る。

「それは気候危機が、いまだかつて『危機』として扱われたことがなかったことを証明しました。パンデミックは気候危機に別の見方をもたらしたのです」

気候変動の抗議運動が成功を収めていた頃、トゥーンベリはまさにこの運動の「顔」になった。過去2年間で数十ヵ国が、2050年までに温室効果ガス排出量を「実質ゼロ」にするという目標を発表した。それは事実上、経済活動から化石燃料を排除することを意味する。

また、世界の二大排出国である中国とアメリカが、どちらも気候変動問題を外交上の優先事項に据えた。世界有数の環境汚染企業も排出量削減を誓約した。そしてトゥーンベリに啓発され、街頭デモに参加する数千人の子どもたちの姿が、刺激剤となって政治を動かした。数年前には、想像もできなかったことだ。

「グレタ効果」は社会現象となった。そしてそれは活動家や研究者、企業の重役たちにとって研究や議論のテーマにもなっている。そのすべてが肯定的な論調というわけではない。

彼らはこの現象のどこまでが彼女個人の力によるもので、どこまでがタイミングのお陰だったのか、彼女は次にどこに向かうのか、変化のスピードが遅い経済産業界において彼女のインパクトはどれだけ長続きするか、問いかけてきた。

これらは、トゥーンベリが自問していることでもある。彼女は自分がなぜ有名になったと考えているのだろう?

「わかりません。ちょうどいいタイミングで良いことが重なっただけではないかと思います。人びとは、こうした変化に対する準備ができていました。それがついに羽ばたいたにすぎません。ただ、コントロールが利かなくなったんです」

あのスピーチは演技だった?

私たちが最後に会ったのは、2年前にストックホルムでランチをしたときだった。トゥーンベリの外見はその時から変わっていないが、会話が進むにつれて、その成長ぶりがはっきりとわかった。彼女は前よりも自信をつけ、リラックスしている。「実質ゼロ目標の落とし穴」といった得意の話題になると、長く複雑な回答を返す。

けれど世間話にはまだ苦労している。アスペルガー症候群の患者によくみられる徴候だ。学校に戻るのはどんな気分だろう?

「以前とはだいぶ違います」と彼女は言う。主要経済大国が設定している最近の気候目標についてはどう考えているだろう?

「(私の見解は)完全にどうでもいいことです……。個人が『もう充分だ』と思うかどうか、私が『それでいい』と考えるかどうかに注目すべきではありません」

最初はちょっとギスギスした空気だったが、そのあと私たちは打ち解けた。トゥーンベリは話しながら刺繍に取りかかった。オランダ人の気候活動家の友人のために、彼女がデザインした作品だ。

「オンライン授業のあいだには、こういうことができるんです」

彼女は、ビデオ画面越しに赤い糸を走らせながらそう説明する。

「同時に何かほかのことをしていると集中しやすくて」

私は、過去数年間で彼女のメッセージがどのように発展したか尋ねた。トゥーンベリは、「それはほかの人たちが解決すべきことです」と主張し、具体的な解決策をめぐる議論を長いあいだ避けてきたのだ。だが今は、解決策について考えはじめるべきときではないのだろうか？　彼女はこう説明する。

「たとえば私が、税金について話すようになったとします。そうすると、私には発信力があるので、『気候危機は政党政治に還元される問題である』という誤ったメッセージを送ってしまうかもしれません。

私たちは日付や数字にかまけるのをやめて、『今すぐ排出量を削減する必要がある』という事実を現実のものとして受け入れる必要があります。『２０３０年』でも『２０４０年』でも好きに議論すればいい。でもほんとうに重要なのは、今、私たちがしていることです」

2015年12月のパリ協定は、各国が段階的にもっと野心的な目標を設定するよう促した。さらにソーシャルメディアの隆盛は、若い世代間で新たなタイプの抗議活動が広がる可能性を示していた。

そんななかでトゥーンベリが見せた最も有名な一場面が、2019年9月にニューヨークで開催された国連気候行動サミットでの演説だ。

「How dare you!（よくもそんなことを！）」

その目には、怒りの涙が浮かんでいるように見えた。

「あなたたちは、空虚な言葉で私の夢と子ども時代を盗んだ」

トゥーンベリのスピーチはバイラル化（拡散）し、サミットに関する記事の見出しを占領した。あのとき彼女は、ほんとうに怒りを感じていたのだろうか？　それとも少しばかり演技をしていたのだろうか？

「そうですね——その両方です。これは人生で一度きりのチャンスだとわかっていました。だから最大限に活用すべきだと思ったんです。それで、感情に流されるがままにしました」

とはいえ彼女は、「怒れるティーンエイジャー」としての自分のイメージがこれほど続いていることに戸惑っているようだ。

「私は絶対に怒ったりしません」

トゥーンベリは、クスクス笑いながらそう話す。

「私の身近にいる誰かに聞いてみてください。きっと私が怒りっぽいなんて聞いたら大笑いするはずです」

ツイッターでは、トゥーンベリの皮肉たっぷりのユーモアがさく裂し、彼女を批判する者、たとえば前アメリカ大統領ドナルド・トランプを叩きのめしている。

トランプは2019年に、トゥーンベリは「怒りのコントロールの問題を抱えている」ので、映画を観に行きリラックスするべきだと言った。そして2020年の米大統領選後、トゥーンベリは彼の言葉をそのまま使ってお返しした。

「ドナルドは怒りのコントロールに取り組み、それから友だちと昔の名作映画を見に行くべきだ！　落ち着けドナルド、落ち着け！」

彼女のユーモアのセンスは、ロックダウン下でますます磨きがかかっているようだ。

結局、トゥーンベリの何がすごいのか

トゥーンベリに触発された若い活動家たちは、彼女の声に共感したという。イギリスの学生気候正義活動家で「フライデー・フォー・フューチャー」デモに参加したドミニク・

パーマーはこう語る。

「彼女は若者の運動を真に活気づけたのです。スピーチでも、彼女はすべてのことをはっきりと、あるがままに語ります。それは多くの人にとってとても新鮮だったのです」

「応用社会心理学ジャーナル（Journal of Applied Social Psychology）」に今年発表された研究によると、トゥーンベリが聴衆に与える効果こそが、彼女のユニークな特徴の一つだという。論文「グレタ・トゥーンベリ効果」の筆頭筆者で、ロンドン・スクール・オブ・エコノミクス博士課程のアナンディータ・サブハーワルはこう説明する。

「彼女は何もしていない、と考える人は大勢います。けれど我々の調査で、彼女が（人びとの）考え方を変えていないという見方は間違っている、ということが明らかになりました」

サブハーワルの論文によると、トゥーンベリについて耳にしたことがある人は、より強い「集団的効力感（共に活動することによって変化をもたらすことができるという信念）」を感じている傾向があるという。

調査対象は小規模で、約１３００人のアメリカの成人に限られた。だがサブハーワルは、その効果は調査に含まれていない若者たちのあいだで、より顕著に表れるかもしれないと考えている。若者たちの行動主義の高まりは、すでに現実世界にインパクトをもたらしており、子どもたちによる気候変動訴訟も起きている。

最近ではオーストラリアで、若者を気候変動から守るための「注意義務」に政府が違反していると、ティーンエイジャーたちが先導して裁判を起こし、同国での化石燃料の採掘停止を求めている（アメリカで発生した類似の訴訟は昨年却下された）。

企業の世界でも同様で、トゥーンベリの名をいたるところで耳にした。企業プレゼンの議事録を検索すると、トゥーンベリの名前が意外な場所で使われていることがわかる。

ドイツの証券取引グループ「ドイツ取引所」の最高経営責任者は、持続可能な金融に関する仕事を紹介する際に彼女の言葉を引用した。ウラン採掘をおこなう大企業のトップは、原子力産業の未来を見通すにあたりトゥーンベリに触れた。リストはまだまだ続く。「BNPパリバ・アセットマネジメント」のサステナビリティ・ストラテジスト・チーフ、マーク・ルイスはこう語る。

「気候変動を巡る議論の渦中に、彼女の存在があるのです。ときには目に見えるかたちで、そして目に見えないかたちでいつでも」

だが、トゥーンベリの功績が過大評価されていると考える人たちもいる。ケンブリッジ大学人文地理学教授のマイク・ヒュルムは、トゥーンベリをホッキョクグマに例える。

「15年前にはどこを見てもホッキョクグマが登場したものです。ある時期には、どこを見てもグレタ・トゥーンベリがステージに立っているように思えました」

だが、気候変動シンクタンク「カーボン・トラッカー」社のエネルギー戦略担当キングスミル・ボンドはこう語る。

「過去50年間と比べて現在の最も特異な点は、気候問題への取り組みにおいて経済が動いていることとです。それこそが大きな変化なのです」

再生可能エネルギーの値段は、同量の化石燃料よりも安くなっている。太陽光エネルギーのコストは過去10年で80％以上下落し、バッテリー価格は10年前の7分の1になった。再生可能エネルギーのお手頃感のおかげで、多くの政府が温室効果ガス排出量削減を約束することに繋がった。

「トゥーンベリは、チャンスを見事に捉えた」とボンドは言う。

「彼女でなければ、とても長い時間がかかっていた可能性もあります。どんなリーダーについても同じことがいわれるでしょう。『リーダーがいようがいまいが、変化は起こった』と。でも実際に誰かが人びとに変化を起こさせる必要があるのです」

大人になった環境活動家のこれから

トゥーンベリは、自分の名声が続くとは期待していない。

「こんなに長く続いていることに驚いています。じつはある意味で、私はまだこの状況をよく理解できていないんです。名声に私生活を支配させてはいけません。私に対する注目が消え去ったとき（すぐにそうなるでしょうが）、折り合いをつけるのに苦労するでしょうからね」

若者たちの気候変動運動の次のステップがどうなるかは、トゥーンベリ自身にもわかっていない。

「この一年間を通じて、私たちは当たり前のことなど何もないということ、そして物事を計画することはできないということを学びました」

彼女はもう子どもではない。だがそれでもなお、自分の主な手段は変わっていないと言う。大人たちに正しいことをしてもらうため、道徳的優位を利用するのだ。

「人は、私たちはモラルを利用すべきでないとか、人を辱めたり罪悪感やら何やらを利用したりするのはよくないと言います。でも国際的拘束力を持つ協定がない以上、私たちにはこうするしかありません。これが私たちにとって唯一の〝資源〟なのです」

トゥーンベリのプラットフォームは、抗議活動が持つ偉大な力と同時に、その限界も示している。要求しつづけるのは長い道のりになるかもしれない。だが子どもの活動家も大人になる。気候変動運動の次なるステップは、科学者、政策立案者、そしてエンジニアの肩にかかっているように思われる。

２０２１年後半には、グラスゴーで国連気候サミット「ＣＯＰ26（第26回気候変動枠組条約締約国会議）」が開催される。私は彼女にそのサミットが状況を変えられると思うか訊いてみた。近年、トゥーンベリは気候サミットにいくつか参加している。彼女は、おそらくグラスゴーにも行くと言う。

「また会議が中止になったりせず、私が招待されればの話ですが」

だがトゥーンベリは、過去のサミットはすべて失敗だったと考えている。そしてグラスゴーも同じことになるだろう、と。

「私たちはこうした会議を永遠に、何度も何度も、好きなだけ開くことができますが、それは何の変化にも繋がらないでしょう。私たちが実際にこの危機を認識し、自分たちがこんなにも失敗を重ねてきた、ということを認めないかぎり」

トゥーンベリの飼い犬ロキシーとモーゼスがドアに向かって吠え立て、彼女は刺繍の手を止めた。私は彼女に「次」に何をするのか、これからも気候変動分野で仕事を続けていくと思うか尋ねた。

「残念ながら、その答えはイエスです」と彼女は答える。

「私の願いは状況が完全に改善され、気候活動家が必要なくなることです。でも現実的には、そうはならないでしょう。

一つ確かなことがあります。私たちは状況に応じて、これからも自分たちにできることをしていきます。そして科学を伝え、権力者にとっての『目の上のたんこぶ』でありつづけるでしょう」

彼女はそう言って、少し笑った。

ダニエル・カーネマン
組織の致命的エラーを起こす
「ノイズ」のカラクリ

「とてつもなく大きな変化は静かに起きない」

Photo: Craig Barritt / Getty Images

Daniel Kahneman: «Clearly AI is going to win. How people are going to adjust is a fascinating problem» The Guardian 21/5/16, Text by Tim Adams
ダニエル・カーネマン「人類は指数関数的な変化に対応できない生き物だ」COURRIER JAPON 21/6/2

Daniel Kahneman　高名な心理学者にして行動経済学の創始者、幸福研究の第一人者として知られる。現在は米プリンストン大学名誉教授。専門は意思決定論および行動経済学。１９３４年、イスラエルのテルアビブ生まれ。幼少期をパリで過ごし、その後、エルサレムのヘブライ大学で心理学と数学を学んだ後、１９５８年にはアメリカに移住。２００２年には、自らが確立した、不確実な状況下における意思決定モデル「プロスペクト理論」などを経済学に統合したことが画期的な業績として評価され、心理学者ながらノーベル経済学賞を受賞。人間が判断を誤るのはさまざまな認知バイアスや経験則に歪められるためであることを解説した『ファスト&スロー』（早川書房）は世界的なベストセラーとなった。新著に「組織やシステムが抱えるバイアス」に焦点をあてた『ノイズ――人はなぜ判断を誤るのか』（未邦訳）がある。

行動経済学の第一人者ダニエル・カーネマンが、個人ではなく「組織やシステムが抱えるバイアス」に焦点をあてた新著『ノイズ――人はなぜ判断を誤るのか』（未邦訳）を上梓した。87歳にして現役で人間の心理を探求しつづける知の巨人はいま、何を考えているの

か――パンデミック禍の人間心理やAI（人工知能）をテーマに、英紙「ガーディアン」がインタビューした。

ダニエル・カーネマンは2002年、判断と意思決定をもたらす人間心理に関する研究でノーベル経済学賞を受賞した。

世界的ベストセラーになった『ファスト&スロー』では「人間が判断を誤るのはさまざまな認知バイアスや経験則に歪められるため」とする革新的な概念を提示しており、その誤りをいかに認識して正しい判断へと導くかが説かれている。

カーネマンはこのほど新著『ノイズ――人はなぜ判断を誤るのか』（オリヴィエ・シボニー、キャス・R・サンスティーンと共著）を刊行したばかり。同書は「人間組織の機能とその欠陥」に焦点を当てている。これを受け、ニューヨークの自宅にいるカーネマンにズームを介して話を聞いた。

ノイズのない「個人」は存在しない

――まずはパンデミックの話から始めましょう。今起きていることは、この世界に政治的判断を間断なく迫りつづける史上最大の実験のようなものです。これは「科学に耳を傾ける」ことの必要性を理解するうえで分岐点となったと思われますか？

カーネマン　なんとも言えません。科学に耳を傾けない姿勢が悪であることは明らかですが、一方で科学の世界も、新型コロナウイルスに一致団結して立ち向かうまでにかなりの時間を要しましたから。

——ウイルスは爆発的に広がりました。その背景には「指数関数的な増加」という基本的な概念さえ人びとにあまり認知されていなかった、という点も問題だったかと思います。先生はこうした状況に驚かれましたか？

カーネマン　指数関数的な現象は、私たちにはほとんど理解不能です。人は大なり小なり、直線的な世界に慣れ親しんでいますから。何かが加速度的に進行しているとしても、それはたいてい、合理的に理解できる範囲内のものなのです。

　ところが新型コロナウイルスの感染拡大のような指数関数的変化は、それとは次元が異なります。こういったものへの対処力が人間にはないのです。この手の対処力を直観レベルにまで高めるには、長い時間がかかります。

——ソーシャルメディアで常態化している意見の衝突が、この無理解に拍車をかけていると思われますか？

カーネマン　私はソーシャルメディアに関してほとんど何も知りませんし、そもそもジェネレーションギャップがあまりにも大きいと感じています。ただ、誤った情報が広まる可能性は明らかに大きくなっているでしょう。この新しいメディアには情報の正確性に対する責任も、根拠のない風評被害をコントロールする力もありませんから。

——このほど刊行されたばかりの新著で述べられている「ノイズ」は、いわゆる人間の「主観」や「誤り」とはどう違うのでしょうか？

カーネマン　私たちはこの本で「システム・ノイズ」を主要テーマとして取り上げました。システム・ノイズとは個人の内面で起こる現象ではなく、均一な判断を下すことが前提とされる組織やシステムのなかで起こるものです。個人の主観やバイアスの問題とはまったく異なります。

まずは膨大な実例を統計的に調べることから始めなければなりません。そうすることで初めて、組織やシステムに存在する「ノイズ」が見えてくるのです。

——ご著書にはシステム・ノイズに関するショッキングな例が登場します。たとえば、同じ犯罪に対する判決が人によって異様なまでに食い違うというものです。極端な場合、天気やサッカーの試合結果など、裁判とはまるで関係のない外的要因に影響されたりするそうですね。

あるいは、与えられる基本情報が同じでも、保険の査定や医師の診察結果、就職面接の結果が人によって大きく変わるとも書かれています。
こうしたノイズの原因は、取捨選択をおこなう立場にある「専門家たち」の地位が保護されているからではないでしょうか。裁判官は誰ひとりとして「アルゴリズムのほうが公正な裁きを下せる」などと認めたくはないでしょう。

カーネマン　司法制度はある意味、特殊なシステムだと思います。法廷では「賢者」がすべてを決めるわけですから。医学もノイズだらけですが、医学的事実という客観的な線引きはありますからね。

——陪審員になったご経験、あるいは長期間の裁判に臨まれたことはありますか？

カーネマン　いいえ。けれど私は裁判官に、ノイズが司法判断にどのような影響を与えているか研究できないかと何度も掛け合ってきたんです。まあ結局、司法の世界にいる人というのは、ご自身が調査対象にされることには興味がないようです。

——人は本能的、あるいは感情的に、抽象的プロセスよりも人間が作ったシステムを信用したがるのでしょうか。

カーネマン　間違いなくそうですね。たとえば現在のワクチンに対する態度を見ればわかります。人は「新型コロナウイルス感染症よりも、ワクチン接種のリスクのほうがはるかに低い」と、進んでワクチン接種のリスクを受け入れようとしているでしょう。

こうした「自然」と「人工」に対する意識のギャップはいたるところで見られます。だからこそ人工のものであるＡＩがミスをしたとき、人間はそれをあまりにも馬鹿げたもの、あるいはほとんど悪のように捉えるのです。

――自動運転車はどうでしょうか。これこそまさに、この議論のカギだと思うのです。自動運転車が統計的な安全性能をいくら高めたところで、ひとたび事故を起こせば、事故を起こしたという事実ばかりが過剰にクローズアップされますよね？

カーネマン　人間が運転するよりは安全、という程度では不充分なんです。「自動運転車は人間が運転するよりも安全な乗り物である」という認識を獲得するには、非常に高いハードルを越える必要があります。

――先生が故エイモス・トベルスキーとこの問題の共同研究を始めて、50年が経ちました。測定可能な人間の「バイアス」や「誤り」に関する研究結果は、もっと広く理解されるべきだったとお考えですか？

カーネマン　二人でこの研究を始めたとき、世界を変えようとはとくに思っていませんでした。なにしろ私自身、これだけ研究して知識も身につけているのに、下す決断は変わらないものだと身につまされる思いをするのですから。

ノイズがいっさい含まれていない決断なんて、個人ではなかなか下せないものです。私が信頼を置くものがあるとしたら、それは個人ではなく、組織になるでしょうね。

――ご自身の研究は、人間の愚かさを浮き彫りにする風刺的な側面も持つと思われますか？

カーネマン そんなことはありません。私は自分自身をきわめて客観的な心理学者だと思っていますよ。

たしかに人間には限界があります。しかし同時に、とてもすばらしい存在でもあるのです。『ファスト&スロー』では人間が抱える欠点だけでなく、直観的な思考のすばらしさも書こうと努めました。だけど人は欠点をおもしろがるため、そちらばかりに注目が集まったのでしょう。

――ご著書を読んで強く感じたことがあります。それは「個人や組織がどれほど効率的で合理的でありたいと公言しようと、人間は先が読めることばかりだとどうしても飽きてしまい、サイコロを振って出たとこ勝負をしたがる」ということです。この点に関してはどうお考えですか。

カーネマン 世の中には、多様性や創造性を求める領域が多くあります。しかし明確に定義付けされたタスクには均一性が求められるものです。

こうした均一性を求めるあまり人びとのモチベーションが低下し、あまりにも官僚的になるのであれば、今度はその均一性自体が問題になるのです。これに関しては組織が充分話し合う必要があります。

AIは間違いなく人間の知性に勝つ

――アメリカ大統領選挙で両陣営の候補者を見ていて、彼らが導きや助けを神に求める場面のなんと多いことかと感じていました。ご著書には宗教の話は出てきませんが、超自然への信仰はノイズを増やすものでしょうか？

カーネマン　宗教とそれ以外の信念体系には、私たちが考えているほどの違いはないと思います。私たちは皆、「自分こそが真理に通じている」と信じたがるものです。私は科学を信じていますが、それは宗教を信じている人とあまり変わらないと思うのです。

たとえば私は気候変動が起きていると信じていますが、ほんとうのところは何もわかっていません。私が信じているのは「気候変動は実際に起こっている」と唱える人たちの所属する組織、彼らがそう結論を導き出した手法です。

「自分は無宗教だから、宗教的な人びとよりもはるかに賢い」などとうぬぼれてはいけません。科学者の傲慢さについては、私もかなり考えを巡らせています。

――ご著書にはノイズをなくすためのアイデアがいくつか書かれています。「チェックリストを作成して意思決定に役立てる」「意思決定に際してはオブザーバーを指定しておく」などというものです。
これを読んで、人種や性別による無意識の偏見を減らす研修を企業が社員に義務付けても、効果が上がらなかったり、かえって逆効果になったりするという研究結果を思い出しました。こうした予期せぬ結果に関してはどうお考えですか。

カーネマン　その手のリスクはつねにあります。また、あなたがおっしゃったことはほとんど検証されていないものの、検証する価値はあるでしょう。ただ、本書に書いてあることはいずれも事例研究に基づく、確かな提案です。

——人間の判断がデータやＡＩによって補強されたり、あるいは置き換えられたりすることには危険がはらむと感じますか？

カーネマン　ＡＩによる変革はすでに起こりつつあり、それは私たちに大きな影響をおよぼすでしょう。医療分野はすでに、ＡＩが人に取って代わる危機に直面しつつあります。患者の容体の診断がまさにそうです。
また、リーダーシップに関してもかなり恐ろしいシナリオがあります。人間よりはるかに優れた経営判断を下せるＡＩが実現可能だと立証されれば、人間のリーダーシップはどうなってしまうのでしょうね。

——ＡＩ化の流れへの反発がすでに起きているのでしょうか？　先の選挙では、ドナルド・トランプやボリス・ジョンソンのような人物が勝利しました。これは複雑化するばかりの情報社会に対する反発でしょう。

彼らがなぜ大衆にうけたかと言えば、それは彼らの言動が単純かつ衝動的で、冒険的だったからだと思うのです。こうしたポピュリズムは今後も増えていくのでしょうか？

カーネマン　私は決して予測をしないようにしてきました。確実に予測できる力が自分にないから、というだけではありません。そもそもそんなことが可能かどうかもわからないからです。

しかし、一つだけ大いにあり得ると思うのは、（ＡＩの発達のような）とてつもなく大きな変革は静かに起きない、ということです。大混乱が起きるでしょう。テクノロジーはものすごく急激に、そしておそらく指数関数的に発展を遂げるはずです。

人間の思考は直線的なものです。直線的思考を持つ人間が、指数関数的な変化に適応するのは並大抵のことではありません。何かが起こりつつある。それは誰の目から見ても明らか……そして人間の知性との勝負で勝つのは、間違いなくＡＩのほうでしょう。それも、大差をつけて。

人類がこの問題にどこまで適応できるかに興味をそそられますが、それは私ではなく、子どもや孫の世代が直面する問題でしょうね。

――先生ご自身の人生は、極度に予測不能な状態から始まっています。あなたが幼少期を過ごしたフランスはナチスドイツの占領下にありました。そしてユダヤ人だった父親はナチスに逮捕され、釈放されてからご家族は隠遁生活を送りましたね。人間心理への関心は、少年期に体験した不安や恐怖にどれくらい根ざしていると思われますか。

カーネマン　ふりかえってみると、私は最初から心理学者を目指していたのだと思います。物心がつく前から、人間の心の仕組みに興味があったのです。いずれにせよ、心理学者になったことと自分の幼少期はあまり関係ないかもしれません。ただ、人間心理への関心はつねにありましたね。

――先生は今も6～7歳当時の子どものままだと感じることはありますか？

カーネマン　ええ。間違いなく連続性は感じています。今も自分の内面に、その名残みたいなものを見出すことはありますよ。

――心理学者になられたとき、87歳になっても現役で研究を続けているだろうと考えていましたか？

カーネマン　まさか、とっくにあの世に行っていると思ってましたよ！　ところが驚いたことに、今なお飽くなき好奇心を持ってこうして研究をしている。『ノイズ――人はなぜ判断を誤るのか』を書き終えた今は、いくつかのプロジェクトや研究調査に協力しています。

そのうちの一つは人が「バットとボールの値段問題（※）」を解けないことと、神への信仰や「9・11陰謀論」が相互にどう関係しているか、というもの。

これまでとまったく変わらず、そのすべてが私にとって楽しいものなのです。

※「バットとボールがセットで1ドル10セントする。バットはボールより1ドル高い。ボールはいくら？」という一見単純な問題を大勢が誤答することが、ダニエル・カーネマンの研究によって判明している。人間の思考の非合理性を示す実験として知られる。正しい解答は10セントではなく5セント。

バーツラフ・シュミル
第5の転換を乗り越える
「レス・イズ・モア」

「人類の生物圏は地球にしかない」

Photo : Wikimedia Commons

Vaclav Smil : «Want not, Waste not» Noēma 21/2/25, Text by Nathan Gardels
「バーツラフ・シュミル博士、中国が米国と同水準の消費生活を実現できたとき、地球は生き残れますか？」COURRIER JAPON 21/7/8

Vaclav Smil　カナダ・マニトバ大学特別栄誉教授。エネルギー、環境変化、人口変動、食糧生産、栄養、技術革新、リスクアセスメント、公共政策の分野で学際的研究に従事。カナダ王立協会（科学・芸術アカデミー）フェロー。おもな著書に、人類の歴史を権力闘争ではなく、熱、光、運動とエネルギーのイノベーションの歴史としてとらえた『エネルギーの人類史』（青土社）、世界の人びとや国々、エネルギーや食、環境など、さまざまなトピックを数字で解説した『Numbers Don't Lie: 世界のリアルは「数字」でつかめ！』（NHK出版）などがある。

気候変動による自然災害の増加、新型コロナウイルスのパンデミックによる世界経済の停滞……地球規模の難題を身近に実感させられる日々だ。

そうした難題の発端ともいえる近代世界の出現について最近著したのが、ビル・ゲイツも愛読する〝知の巨人〟バーツラフ・シュミルだ。チェコ系カナダ人で、エネルギー、環境変化、人口変動、食糧生産、栄養、技術革新、リスクアセスメント、公共政策といった多岐にわたる分野の専門家である。

――新著『大転換――近代世界はいかにして作られたのか』（未邦訳）では、近代世界の出現をうながした「人口」「食糧」「エネルギー」「経済」という4カテゴリーでの転換がテーマになっています。どんな転換があったのか、説明していただけますか。

シュミル　最も重要にして、すべての根底にあるのが、人口の転換です。長期的に見れば、人口動態は運命といって過言ではありません。大きな転換は非常にゆっくり進行します。だから変化は絶えず起きていても、転換が終わってから、はじめてそれに気づくことがしばしばです。

１００年ほど前から１９７０年代までは、地球上の人口が増えすぎてしまうのではないかと心配されていました。人口爆発のせいで地球の資源が足りなくなると警戒されていました。ところが気にすべきだったのは人間の数ではなく、人間の消費水準だったのです。

いま欧米では、多くの国で人口が減り、移民を受け入れなければ長期的に人口を維持できない状況になっています。

中国も、かつての「一人っ子政策」の影響で人口置換水準を下回っています。あのインドでさえ、人口の伸びが横ばいになろうとしています。

人口減少局面に入った国も出てきています。日本や、ルーマニアなどの欧州の数ヵ国のことです。

人口が減れば消費も減るわけではない？

シュミル　長期的に見れば、すべてを決めるのは、人口の伸びです。一見、人口が増えないのはいいことに思えるかもしれません。ところが、人口が増えなければ資源への負荷が軽くなるわけではないのです。

むしろ社会が豊かになると、一家の人数が減るのに、一家の消費量自体は増えるといったことが起きます。人数の「減少」が消費の「増加」をもたらすのです。

──つまり、課題は人口の抑制ではなく、人口が減ったときの消費の抑制だということですか。

シュミル　課題は消費なのです。仮に地球の人口がたったの20億人だったとしても、全員が平均的なアメリカ人の水準で消費をすることになれば、とてつもなく恐ろしい事態になります。

消費の差がどれだけ大きいのか、そこに気づけていない人が多いのです。

日本という国は、あらゆる観点から見て繁栄しており、裕福であることに異論の余地はありません。世界有数の長寿国でもあります。ところが、数年前のデータで日本人一人当たりの消費は年間150ギガジュール（ギガは10億、ジュールはエネルギー量の国際単位）を下回っていました。250を超えるアメリカ人とは対照的です。

いまの中国は約95です。インドは25、サハラ以南のアフリカは10です。サハラ以南のアフリカで暮らす10億人がアメリカ人と同じ水準の消費を始めたら、地球の資源は完全に枯渇します。

中国人がアメリカ人並みに消費したら地球はどうなる？

――中国などかつての途上国が先進国に追いつくとき、経済成長や消費増加のペースが先進国の場合より加速することが多いです。いまやグローバル化の推進力の中心は、欧米ではなく、中国になっており、「一帯一路」構想によってシルクロードという交易路を復活させて、ユーラシアやアフリカに繁栄をもたらそうとしています。

中国がアメリカと同水準の消費生活を実現できたとき、地球は生き残れるのでしょうか。

シュミル　おそらくそうなったら地球は生き残れませんが、中国はアメリカと同じ水準になるのをめざしています。たった2世代前まで中国は35ギガジュールだったのです。しかし、いまは100に近づき、できるだけ早く欧州水準の130や140に到達しようとしています。

気になるのは、ほかの国も中国のような成長をするのか、というところです。おそらく、そうなる可能性はあまり高くないでしょう。インドやサハラ以南のアフリカの成長速度は、中国に比べると、ずいぶんゆっくりです。

――コロナ禍がきっかけでデジタル経済への決定的な転換があったという話をよく聞くようになりました。

デジタル化が進んだおかげで、一部の途上国の開発が一足とびに進み、豊かになれたりするのでしょうか。

シュミル　たしかにデジタル経済への転換はありましたが、その影響の大きさが過大視されている気がします。

基本的な話になりますが、文明の基盤は鉄やセメント、プラスチック、銅、肥料に使うアンモニアなどであり、そういったもののデジタル化は起きていないのです。いまも鉄が欲しかったら、鉄鉱石を掘って精錬しなければなりません。精錬には、大量の石炭を掘って、大量のエネルギーを投入して石炭をコークスに変える必要もあります。

そうした工程の管理はデジタル化できますが、現場で原材料を扱う部分はデジタル化ができません。作業自体はいまも昔も同じなのです。デジタル化によって経済の非物質化が進んでいると考える人もいるようですが、それには笑ってしまいます。

原材料の総量はむしろ増えている？

シュミル　アメリカ人が乗る自動車の平均重量は約2トンです。2トン分の鉄とプラスチックとガラスが使われているわけです。たしかにインパネ（Instrument panel 計器盤）がデジタル表示になり、運転しながらテレビが見られるようになったかもしれません。しかし、その自動車に2トンの原材料が使われている事実は、いまも昔も変わりません。

アメリカ人がＳＵＶ（Sport Utility Vehicle）やピックアップトラックを好むことは売り上げの数字からも明らかです。フォードのＦシリーズのピックアップトラックは、もう30年以上のベストセラーです。Ｆシリーズは前よりも重くなってきていますし、販売台数も増えています。つまり、ピックアップトラックを作るのに必要な原材料は、むしろ増加の一途を辿っているわけです。

携帯電話を考えてみましょう。たしかに10年前に比べれば軽くなりました。でも、世界中で何十億人が携帯電話を使うようになっています。携帯電話の製造に必要な原材料の総量自体は減るどころか、増える一方なのです。

たしかに経済の一部では非物質化が起きていますが、経済の全体が非物質化しているわけではありません。そこのところを取り違える人が多いようです。重要なのは、エネルギー消費の総量と使用原材料の総量です。
――近代世界を出現させた「人口」「食糧」「エネルギー」「経済」という4カテゴリーでの時代を画する大転換が、いま「第5の転換」によって危機にさらされていると指摘されています。生物圏を居住可能な空間として保つためには、とりわけ気候変動への対処に力を入れなければならないということですか。

シュミル　対処しなければならないのは気候変動問題だけではありません。それが環境問題に関する私の立場です。気候変動ばかりに注目する考え方は、あまり好きになれないのです。環境問題は多数あり、気候変動は多数ある環境問題の一つでしかないことをもう何十年も言いつづけて闘ってきました。

いま仮に、気候変動の問題がまったくなかったとします。二酸化炭素などの温室効果ガスを排出しても、気候に何の影響も出ないと仮定します。

それでも、多くの国で進行している大規模な森林伐採の問題は、解決されずに残ります。生物多様性の大喪失という問題も解決されずに残ります。海に数億トンのプラスチックが漂う問題も解決されずに残ります。昔ながらの大気汚染の問題も解決されずに残ります。肥料が流れ込むことで起きている海洋生態系の酸性化の問題も解決されずに残ります。

気候変動以外にも対処すべき環境問題は多数あるのです。仮に地球温暖化の問題がなかったとしても、地球の生物圏はいい状態にはありません。

人類の生物圏は地球にしかない

シュミル　だから生物圏を守っていくことが喫緊の課題です。私たちには地球にあるこの生物圏しか暮らせる生物圏がないのですから当然ですよね。

イーロン・マスクは人類を火星に居住させることに熱意を抱いているようですが、人類が火星で暮らすことはありえません。そこははっきりさせておきたいです。

マスクは以前、2024年に有人火星探査をすると言っていたのを覚えていますか。大型宇宙船を使って火星に人を送り込もうとしたのです。荒唐無稽というか笑止千万です。

私たち人類には地球上のこの生物圏しかないのです。だから、いまここでその生物圏を大切にしなければなりません。

地球の生物圏は脆弱な状態になっていますが、幸いなことに生物圏にはレジリエンス(回復力)があります。生物圏には自らを一気に復元する力も備わっているのです。ただ、ある地点を越えてしまったら、復元不能になります。生物圏を多少破壊しても、自然に修復が始まりますが、だからといって破壊を延々と続けられるわけではありません。

──破壊が積み重なり、生物圏が後戻りできないほど崩壊してしまう状況が迫っているのですか。

シュミル　ある一つの線を越えたら、もう戻れなくなるというわけではなく、これはいろいろな要因が関係します。中国に関して言えば、ここ数年、天然資源の開発をやりすぎたと批判する人が多いのですが、私はこう言っています。

「一部の場所で破壊が続いているかもしれないけれど、別の場所では改善が続いている」

同じことは生物圏についても言えます。一部の国では植林によって森林が再生していますし、私たちが少し支えてあげるだけで、環境は自然に、シンプルに復元されていくのです。畑が耕作されなくなれば、そこには木々が茂ります。

1997年、世界各国がオゾン層の穴を修復するためにフロン類の使用制限に合意しました。いまオゾンホールの心配をする人はいません。

状況が改善しているところも多いのですが、状況が悪化したり、改善していなかったりするところも多くあります。正味でどうなっているのかを見極めるのは難しいことです。10年前と比べていまがよくなったかどうかも私にはわかりません。個々の問題が、質的にも量的にも比較できるものではないからです。何に焦点を当てて、どう解釈するかによって、判断が異なってきます。良くなっているところもあれば、悪くなっているところもある、動きのあるプロセスなのです。

だから、ある問題に関しては何とも思わないけれども、別の問題では警戒を抱くようなことも起きます。

──時代を画する大転換は均一に進むのではなく、国や文化が異なると、文化的属性のために転換のペースや進み方も変わってくると指摘されています。気候変動に関しては、地球全体で同時に問題の認識が進んでいます。この問題に地球規模で対処しようとする「地球規模のリアリズム」が常識として広まっていく可能性はありますか。

シュミル　そのような可能性はないと考えています。気候変動は非常に複雑な問題であり、不確実性も多いものです。人類史上初めて地球規模の行動が必要とされています。ラトビアやカメルーンも巻き込んでいかなければならないという話ではありませんが、ロシアやインド、米国、欧州、中国、ブラジルといった温室効果ガス排出国上位20～25ヵ国と産油国の協力が必要です。

なるほど、そうした国々はすでにパリ協定に署名しています。しかし、あの協定には何と書かれていたでしょうか。約束を守ることを「厳粛に誓う」などと書かれた最初のページしか読んでいない人が多いようですが、あそこに書かれた約束には法的拘束力があるわけではありませんし、あれでは気温の上昇を2度以内に抑えることもできません。

各国がそれぞれの約束を守れるかどうかも怪しいのです。気温上昇を抑えることだけでも、こんな状況です。ですから、申し訳ないですが、私はグローバルな協調行動は期待できないと考えています。いまの経済開発モデルの根幹の部分に切り込む覚悟が必要です。

物事をありのままに見ましょう。「経済」といったものはひとまず脇に置いて、エネルギー変換だけを見るのです。あなたの自動車や冷暖房つきの住宅、飛行機での欧州旅行などが、大きな打撃を受けなければなりません。

奇跡的なエネルギー技術の発明がないかぎり、気候変動を本気で食い止めたいなら、自分たちの生活水準を意図的に落としていかなければならないのです。地球上の全人類が、カリフォルニア州サンタクララの住民のような暮らしを送りながら、同時に環境を理想の状態で維持しようとするのが無理な話なのです。単純に不可能なのです。

――議論すべきなのは気候変動の緩和策ではなく、適応策だということですか。

シュミル　その通りです。2030年までの気温上昇を1・5度以内に抑えられれば、大きな違いが出ると想定するのは希望的観測でしかありません。温暖化がもっと進むと考える研究論文が多数出ています。

列車はもう駅を出発してしまったのです。そのことを認めなければなりません。気温上昇が2度を超える確率がかなり高いのです。ですからリアリズムで問題と向き合うなら、海面上昇、ゲリラ豪雨、山火事の頻発などの問題に対処する計画を練るべきです。

――気候変動への適応策や緩和策はどのように進むことになりますか。

シュミル　私たちがいかに多くのものを無駄にしているのか――そこに気づくことが最大の希望です。すべきことは単純であり、私はそれを「合理的管理」と言っています。

私たちは生産した食べ物の40％を捨てています。米国が排出する温室効果ガスの約10％を農業が占めています。食糧生産のために、それだけの温室効果ガスを生物圏に放出しておきながら、毎年、食糧の30～35％、場合によっては40％を捨てているのです。

もちろん無駄をゼロにする経済運営は不可能です。しかし、無駄を15％以下に抑えることはできるはずです。30％以下にすることは絶対に可能です。

同じことは交通に使うエネルギーについても言えます。30年前、米国で最も売れていた車は、フォードのF－150ではなく、小型・中型車だったのです。私たちはエネルギーの無駄遣いをし、食べ物の無駄遣いをし、資源の無駄遣いをしています。ありとあらゆるかたちの無駄遣いがあるのです。

また携帯電話のことを考えましょう。いま携帯電話の平均寿命はどれくらいでしょうか。私は持っていませんが、みなさんは確実に持っていますよね。2週間ごとに新機能搭載の最新機種への変更を勧める広告が表示されていませんか。

欧米の人は携帯電話を1～2年で買い替えています。銅、ガラス、銀、金、レアアースを使った、きわめてエネルギー集約的な製品を簡単に捨てる人が多数いるのです。

「レス・イズ・モア」

シュミル　気候変動に対する緩和策や適応策で最も重要なことの一つは、単純にあらゆる方面で無駄を減らすことです。私が好んで例に挙げるのはアメリカ人の平均的な住宅の大きさです。

1950年は90平方メートルほどだったのが、いまは230平方メートルほどです。家族の人数自体はその間、減っているんですけれどもね。まったく使わない部屋がいくつかある家に暮らしているのです。そんな家の建設や原材料に必要なエネルギー変換を考えてみてください。そんな大きな家を温めたり、冷やしたりしているのです。無駄が多すぎです。

消費を大幅に削れば、無駄を大幅に削減できます。「レス・イズ・モア」という標語がありますが、あれが気候変動に対する適応策のスローガンになるべきです。私たちは無駄遣いばかりしています。それは欧米に限った話ではなく、いまでは中国人もしています。SUVを買い、まるでカリフォルニア州のゲーテッドコミュニティ（住民以外の出入りを制限する住宅地）にあるような大邸宅を建てていますからね。

――要するに、下流の排出量だけに注目するのではなく、目をもっと上流に向けて消費における無駄の多さをどうにかしなければならないということですね。

シュミル　良質の鉄と良質の材料を使って、35年間、エンジン交換を1回するくらいでずっと乗り続けられる車を設計できるのです。

これは楽にできます。しかし、私たちはその反対のことをしてきました。計画的陳腐化といって製品が陳腐化するようにしてきました。製品の設計に無駄を盛り込んでいたわけです。

住宅は長持ちする投資の一つですが、いまの住宅の建て方は粗悪です。いったいどれくらいの人が自宅に三重窓ガラスを取り付けているでしょうか。あなたはきっとしていませんよね。私もしていません。三重窓ガラスを取り付けている人はほとんどいません。

では、なぜ三重窓ガラスを取り付けたほうがいいのでしょうか。それは住宅内のエネルギーの約30％が窓から失われるからです。

右耳をかくときには右手でかけばいい

シュミル　こういったことに真面目に向き合っていかなければなりません。しかも、こうしたことはとても簡単なことなのです。住宅の断熱性を高めれば、製造と設置の両方で雇用も創出されます。

大気中から二酸化炭素を吸引できる発明といった絵空事を夢見ないでほしいのです。そういうものを作るのには何年もかかり、作ってみたけれどうまくいかないこともありえます。それなら、もっと素直に、実用的で、いますぐできる簡単なことを、明日から始めればいいではないですか。

私たちは必要以上に複雑で無駄の多いことをやりたがります。イディッシュ語のことわざに、右耳をかくときに、わざわざ左手を曲げながら頭上をこえてかくのではなく、右手でかけばいい、というものがありますが、私たちは左手を伸ばしがちなのです。

何の目的もなく、努力とエネルギーを無駄にしています。三重窓ガラスのようなシンプルなものだけで生物圏に大きな影響を与えられるのです。

——いまのお話を聞いて思い出したのが、実利実用ばかりを重んじてカリスマ性がないと笑われてきたドイツのアンゲラ・メルケル首相です。メルケル首相は、「ドイツと聞いたとき、何を思い浮かべるか」と尋ねられたとき、「気密性の高い窓」と答えていましたよね。

シュミル　メルケル首相は研究者出身ですし、量子化学の博士号も持っています。熱力学を理解しているから、断熱性が地球を救うのに役立つとわかるのです。

——さきほど自然は脆弱であると同時に、レジリエンスも備えていると指摘されていました。生物圏をたちどころに救える特効薬のようなものはないのですか。

シュミル　そのような特効薬は絶対にありません。複雑なシステムでは、たった一つのことが決定的な役割を果たすことがないのです。パリ協定で掲げたことをすべて実施できたとしても、温暖化は続きます。

たとえば私たちがすべてのＳＵＶの販売を中止したとします。あるいはコロナ前のような、飛行機に乗ってばかりの暮らしをやめたとします。大きな家を買うのをやめたり、フードロスをなくしたり、ペルーからブルーベリーを空輸するようなエネルギー集約度の高いことをやめたりしたとします。

いま挙げたことを一つだけ実行しても、何の効果も出ません。それが複雑なシステムの難しさです。一つの問題だけに取り組んでいるだけでは、生物圏全体の問題の6％とか7％にしか影響を与えられないのです。ある問題を一つ解決したら、排出量の40％が消えたというようなことはありえません。

あるのは、ここの問題を解決すれば年間3％減らせて、別の問題を解決すると6％減らせる、といった小さな課題です。この種の一連の対策をまとめて実施するためには、もっと注意深く、もっと一貫して、もっと長期間、問題に取り組んでいかなければなりません。

――「複雑さを好むミニマリストではなく、単純さを好むマキシマリストになるべきだ」と主張されています。

シュミル　完璧だという評判の一つの対策に一点集中するのではなく、無数の対策を実施すべきだという意味でそのことを言っています。

新型コロナのパンデミックのあとに、大きな変化があるとは思えません。ヒトは社会的な生物です。感染者が毎日1000人出ているときでもバーやカフェに行く生き物なのです。

少し時間はかかるかもしれませんが、人びとはまたクルージングで遊び、週末の旅行に飛行機を使うようになるでしょう。長期的に見れば、いま人びとが想定しているほど、変化は起こらないのです。それが私たちの課題の根っこの部分です。

第2章　分断と新秩序

エマニュエル・トッド
「若者負債」を解決するための方法

「若者たちは負け組に、年長者たちは勝ち組に」

Photo: Eric Fougere / VIP Images / Corbis via Getty Images

Emmanuel Todd : «“Il faut une négociation intergénérationnelle, qui rembourse les jeunes pour leur sacrifice”» Marianne 21/5/2, Text by Franck Dedieu

「エマニュエル・トッド『コロナで犠牲を強いられた若者たちへの補償のため、世代間での〝交渉〟が必要だ』」COURRIER JAPON 21/6/15

Emmanuel Todd　1951年、フランス生まれ。歴史人口学者、家族人類学者。家長、兄弟姉妹の扱いなど家族の構造が社会を規定するとして、人口統計をもとに各国の社会を分析する。1976年に発表した著書『最後の転落』では乳児死亡率の統計からソ連崩壊を予言したことで話題を集める。2002年に発表した『帝国以後』（いずれも藤原書店）ではアメリカの経済的な脆弱性に注目し、帝国化した米国金融主義の没落と普遍主義の後退を予言した。

フランスが誇る〝知の巨人〟、歴史人口学者のエマニュエル・トッドは、新型コロナウイルスによるパンデミックが始まった当初から、若者が払う犠牲に大きな懸念を示してきた。高齢の世代を守るため、経済的な負担を強いられている若者たちに補償すべく、彼は社会に「世代間での交渉」を提案する。

解決しがたい倫理上のジレンマ

——（フランスでは）3度目のロックダウンを前に、憔悴や怒りのような感情さえ現れてきています。こうした雰囲気の変化は何に起因するものなのでしょうか。

トッド　「ワクチン接種を受けても、コロナ禍は終わらないかもしれない」「私たちはこの悪夢を延々と生きつづけなくてはならないのかもしれない」。このような考えが根を下ろしてきています。私もその憔悴感に襲われている一人です。

こうした一般的な感情は、そのウイルスが広く高齢者を「標的」にするという、非常に特異な性質に基づいています。死亡した感染者の平均年齢は81歳、重篤化するケースの平均年齢は68歳です。2種類の「高齢者」に区別して考える必要があります。死亡は「高齢世代」に、集中治療は「引退世代」に関わるものです。

――もっと若い人たちはどうでしょうか。彼らは、祖父母世代を守るため、厳しい衛生管理措置の下にあります。彼らも間接的な「標的」なのではないでしょうか。

トッド　私たちの社会は、解決しがたい倫理上のジレンマに直面しています。高齢世代、引退世代の保護を止めることは犯罪的であり、許容できません。

しかし一方で、孤立し、不安に苛まれ、社会人になる前から前途を挫かれてしまった若者たちを犠牲にしつづけることもまた、犯罪的です。特に初年度の大学生は、リスクを負ってでも大学に復帰するべきだと考えています。

――（ジレンマを解決するのは）倫理的に困難ということでしょうか。

トッド　現在に限ってみれば、それは確かに困難です。しかし、長期的な視野に立てば難しいことではありません。

――詳しく教えてください。

トッド　パンデミックは、１９８０年代初頭に先進諸国で始まった傾向の本質を、誇張したかたちで明らかにしました。

要するに、ここ40年間の経済に関わる選択は、いつも若者たちを犠牲にしておこなわれてきたということです。自由貿易を称揚する経済学者たちも、「ヘクシャー＝オリーン＝サミュエルソンの定理」はわかっています。国境を開くとき、それぞれの国が他の国と比べて豊かに持っている生産要素についてはさらに有利になり、乏しい生産要素についてはさらに不利になるということを。

それでは、ヨーロッパやアメリカが、新興諸国と比較して乏しい要素は何でしょうか。それは労働力、すなわち若者たちです。反対に、豊かな要素は何か。資本、すなわち年長世代に占有されているものです。

欧米では、若者たちは負け組に、年長者たちは勝ち組になっています。さらに、インフレが起こらない「強い通貨」の選択は、「負債を背負った」若者たちを連鎖的に生み出すことになりました。

2012年から中央諸銀行によって実施された金融緩和政策といえば、流動資産の分配に集約されます。これは不動産の価格を高騰させるもので、引退世代の不動産所有者に益するものです。

こんな異常事態を続けられる社会など存在しない

――こうした全般的な不平等は長く続くものでしょうか。

トッド　おそらくは続かないでしょう。2015年、現役世代に対する引退世代の所得の優位性はピークに達しました。コロナ以前の研究によれば、2025年には現役世代は引退世代を追い抜くはずでした。ある種、限界に達していたのです。しかし、いまの我々はパンデミックという未知の状況に置かれ、霧の中なのです。

二人のアメリカ人研究者、ロナルド・リーとアンドリュー・メイソンは、世代間での資産の移転をモデル化しています。彼らはモノやサービスを生産する人びとの平均年齢と、それらを消費する人びとの平均年齢を計算しました。

普通の世の中であれば、消費する人の平均年齢は、生産する人の年齢よりも低く、富は子どもたちや若者たちに流れていきます。しかし、コロナ禍の直前、富の流れは高齢者へと向かい、平均消費年齢が平均生産年齢を全体として上回りかねない状況だったのです。

若者の活動を助け、彼らの生産を支援するのではなく、老人たちを養う社会。人類学的な観点からも、このような異常事態を続けられる社会など存在しません。

そして今日、この困難な状況はさらに極端になっています。高齢世代による富の支配に加えて、政治権力は若者たちに終わることのない外出制限を命じているのですから。いまのところ、若者たちはこうした状況を受け入れているように思います。彼らは自転車とスマートフォンとパソコンの生活に甘んじています。じきに、トレーラーハウスやテントも登場するかもしれません。

さあ、このまま進むことができるでしょうか。とはいえ、注意しなくてはならないのは、高齢者を守らないこともまた、犯罪的なことだということです。

――こうしたジレンマから抜け出すには、どうしたら良いでしょうか。

トッド　未来の世代も含めた世代間での交渉が必要です。今日、若者たちは高齢者の保護という重荷を背負い、犠牲を払っている――それは実際、英雄的とも言えます。彼らはそれに同意しているのです。

その「代わりとして」、高齢世代は資本力や選挙での影響力を通して、若者たちに住みやすい社会を用意する義務があります。コロナ禍の後には、経済的・社会的な改革が起こるでしょう。

若者たちが背負っている負債は、取り除かれなければなりません。彼らの犠牲は報われなくてはなりませんし、彼らは長期的なかたちで解放されなくてはならないのです。そのためには、ここ40年にわたって、就職する若者たちや労働者たちの生活を圧迫してきた経済政策に背を向けることが必要です。

こうしたことには、歴史的な前例があります。第二次世界大戦中のイギリスで、労働者や若者たちは、戦争に先立つ経済危機の犠牲者でした。頭の悪いエリートたちのせいで、その状態は20年も続いていたのです。

ヒトラーの登場を前に、祖国とまともな世界を守るために彼らは耐え抜いたわけですが、戦争が勝利に終わった後に社会変革が起こることは誰の目にも明らかでした——（ジョージ・）オーウェルを読み返してみてください——。とりわけ、社会保障というもののきっかけになったのは「ベヴァリッジ報告書」です。完全雇用もそうですね。

同じようなことはアメリカでもありました。1944年の「復員兵援護法（GI Bill）」は、戦地から戻った若い兵士たちが大学での授業や職業訓練を受けたり、住居を確保したりするための支援を1年間の失業保険とともに提供しました。これは経済的に素晴らしい成功を収めています。

——あなたのおっしゃる政策上の方向転換は、エマニュエル・マクロン（フランス大統領）

が演説で述べた「どれだけコストがかかっても（政府は必要な財政的手段をすべて動員して命や労働者を救う）」と同じようなものではないのですか？

トッド　違います。何十億という巨額を配布し、国内外の融資の力を借りて通貨をまき散らすことは変化などではありませんし、若者たちにとって有害なシステムを長引かせるだけです。

経済の回復は、エンジニアや技能者、労働者の力によって成り立つ産業、つまり形あるものの生産を基礎に置かねばなりません。国家によって保護される産業部門を再構築し、（ユーロを使用しない）通貨主権の基盤となる研究には、大いに投資する必要があります。しかし、我々の政治的リーダーたちにこうした道を歩むだけの知的・倫理的能力があるようには思えません。

いずれにせよ、世代間で交渉し、「ディール（契約）」を取り交わすことは、経済には効果的であり、倫理的には正しいものです。

それがおこなわれなければ、私たちは老いも若きも区別なく、人類学的、歴史的な大惨事に飲みこまれてしまうでしょう。

トマ・ピケティ
バラモン左翼と商人右翼

「富の再分配を政策の中心に据えなければならない」

Photo: Eric Fougere / VIP Images / Corbis via Getty Images / NurPhoto / Getty Images

«Pourquoi la gauche ne séduit-elle plus les classes populaires ? L'analyse de Thomas Piketty» L'OBS 21/4/3, Text by Pascal Riché

「トマ・ピケティ『欧米の左派政党は庶民ではなく、もはや高学歴者のための政党となった』」COURRIER JAPON 21/5/1

Thomas Piketty　1971年、フランス・クリシー生まれ。パリ経済学校経済学教授。社会科学高等研究院（EHESS）経済学教授。20ヵ国以上の18世紀以降の資料をもとに、不平等が拡大するメカニズムを解き明かした著書『21世紀の資本』（みすず書房）の販売部数は、分厚い経済書としては異例の250万部（世界全体）。資本収益率が経済成長率を上回るほど、富は資本家に蓄積されるため、富の再分配をおこなうことが重要と説いた。2019年に刊行された『資本とイデオロギー』（邦訳は2021年11月刊行予定、みすず書房）も、1000ページを超える大著。

経済学者トマ・ピケティ率いる研究チームが、戦後の有権者の投票行動について非常に大規模な分析をおこなったところ、1980年代以降、欧米の左派政党の支持基盤は庶民から高学歴者に変化したことがわかった。同調査を踏まえ、ピケティが仏誌のインタビューに答えた。

左派政党を支持するのは庶民から高学歴者になった

フランスで刊行された『政治の亀裂と社会の不平等』（未邦訳）は、非常に重要な研究をまとめたものだ。50人ほどの国際的な研究チームが、有権者の投票行動が、所得、資産、学歴、民族的出自、宗教に応じて、どう変化するのかを調査したのだ。本調査の対象期間は１９４８～２０２０年と非常に長く、調査対象の民主主義国も50ヵ国程度と非常に規模が大きい。このテーマに関してこれほど体系的、包括的におこなわれた調査は過去にない。

かつて西側諸国では、有権者は所属する社会階級に応じて投票先を決めていたが、いまではその構造は消失し、その過程で、左派政党は高学歴者に支持される政党へと変貌を遂げた。このような左派政党を支持する人びとのことを、経済学者トマ・ピケティは「バラモン左翼」と呼ぶ。本調査の共同監修者の一人でもあるピケティが、左派政党の変質とその帰結について語った。

――庶民階級の左派政党離れは、いつ起きたのですか。

ピケティ　１９５０～８０年の間には、西側の民主主義国の大半では、庶民階級が社会民主主義の政党に投票し、「ブルジョワ」階級が保守政党に投票していました。学歴、所得、資産のどの基準を用いて「庶民階級」を定義しても、同じ結果が得られたのです。大卒者は高卒者よりも保守政党に投票することが多く、高卒者は中卒者よりも保守政党に投票することが多いといった具合です。

この構造が、西側諸国のどの国でも共通して見られました。各国の政治はそれぞれ異なる歴史を辿っているのですけれどもね。たとえばアメリカの民主党は、もともと奴隷制擁護の政党だったのが、ニューディールの政党になった経緯があり、イギリスの労働党やドイツの社会民主党、フランスの社会党や共産党とも違います。それにもかかわらず、30〜40年間、これらの民主主義国では、所属階級に応じて支持政党が決まっていたのです。きわめて特異なことです。

1980〜2020年になると、徐々にこの投票行動に変化が生まれます。社会的に恵まれた階級と庶民階級の双方で分裂が起きたのです。社会的に恵まれた階級においては、所得が最も高い層が右派政党を支持しつづけたのに対し、学歴が最も高い層は左派政党を支持するようになりました。左派政党を支持するようになった高学歴層を、私は「バラモン左翼」と名付けました。

――なぜ「バラモン左翼」と呼ぶのですか。

ピケティ　少し皮肉をこめたラベルです。バラモンとはインドのカースト制度における知識階級です。もとは司祭階級であり、教員や教養人の階級です。それに対し、商人の階級がヴァイシャ、武人の階級がクシャトリヤです。

「バラモン左翼」とは、左派政党に投票するようになった高学歴層を指します。それに対するのは「商人右翼」です。いまの米国を見ると、ビジネス・エリートは昔と同じように共和党に投票していますが、博士号取得者の80％は民主党に投票しています。かつては学歴が高いほど右派政党に投票していたのに、いまでは学歴が高い人ほど左派政党に投票しています。

――フランスでは、左派とは「労働者と教員」の連合だとよく言われますが……。

ピケティ　左派政党の支持層が、どの国でも完全に同じだというわけではありません。その点は少しホッとしますよね。ただ、フランスでも1960〜70年代は、学歴が最も高い有権者の圧倒的多数は右派政党に投票していました。

――社会的に恵まれた階級だけでなく、庶民階級の間でも分裂が起きたようですね。

ピケティ　そうです。バラモン左翼に見離されたと感じた有権者が多かったことがその一因でした。西側諸国全体で庶民階級の投票率が急落しました。投票をやめなかった庶民階級の間では、移民の問題、米国では人種問題をめぐって分裂が起きました。

1960〜70年代、アメリカの庶民階級は白人も黒人も民主党に投票していました。いまは庶民階級の黒人とラティーノ（中南米にルーツを持つ人びと）の圧倒的多数が民主党に投票するのに対し、低学歴の白人は共和党へ投票するようになりました。ヨーロッパの労働者階級の白人も、フランスの国民連合のような極右政党に投票することが多いです。

――左派に愛想をつかした庶民階級の有権者の一部が、中道右派政党を支持することはないのでしょうか。

ピケティ　フランスでは有権者のアイデンティティーに訴えるアイデンティティー主義の新興政党が登場しましたが、アメリカやイギリスのように、歴史のある中道右派政党に反マイノリティの立場をとる一派が現れることもあります。フランスでも、中道右派の共和党やマクロンが結成した中道政党である共和国前進が、この有権者層にシグナルを発して支持を得ようとしています。

――庶民は左派支持、ブルジョワは右派支持という過去の構図にいまだにとらわれている人が多いように思われます。

ピケティ　その構図が成り立っていた1950～80年の期間があまりにも長かったので、それが「常態」だと勘違いしてしまったのでしょう。左派陣営には、この状況は束の間の悪夢に過ぎず、少し時間が経てば昔の状態に戻れると信じたがっている人がいまもいます。しかし、この変化は、非常に根深いものです。

庶民階級の左派政党離れは、中道左派政党の責任だ

――左派政党が「バラモン左翼」の政党になったとはいえ、その政策は、保守政党に比べれば、富の再分配に力を入れているわけです。それなのになぜ庶民階級は左派政党から離れていったのですか。

ピケティ　庶民階級の左派離れは、要因が複雑に絡み合っていて、簡単には説明できません。ただ、左派政党に大きな責任があるのは事実です。１９８０年代頃から、左派政党が掲げる再分配政策の規模は非常に小さくなりました。左派政党がこれから庶民階級の有権者を取り戻したいならば、この数十年やってきたことと根本的に反するようなことをしなくてはいけないかもしれません。ちょっとした調整ではまったく対応できないのです。

１９９０年代には、金融市場の規制が緩和され、資本の移動が自由になりましたが、そのような規制緩和を税制の調整もせずに、徹底的に推進したのは中道左派の政党でした（米国ではクリントン政権時代の民主党、英国ではブレア政権時代の労働党、ドイツではシュレーダー政権時代の社会民主党、フランスではミッテラン政権時代の社会党）。それゆえに中道左派政党は、グローバル化の勝ち組になった人の政党とみなされるようになりました。

フランスの社会党の場合、１９８１年に実施した（大企業の）国有化や社会保障拡充などの政策がうまくいかず、新しい政治的アイデンティティーを探していたときに採用したのが、欧州統合や欧州単一通貨の構想でした。本来なら再分配をするための税制や社会的な政策を整えてから、モノとカネが自由に動く欧州を作るべきだったのですが、そうしなかったので、社会の格差が広がりました。

——西側諸国の左派政党のなかで、そのような状況に陥らなかったところはなかったのですか。

ピケティ　ありませんでした。これはかなり根本的な変動だったのです。共産主義の崩壊とそれに付随する幻滅感も多少なりとも影響していました。

欧州統合の構想も、私有財産と自由競争を信奉するイデオロギーのもとで推し進められました。それはまだ終わっていません。当時、かなり先のことまで決めてしまったからです。

いまフランス電力公社（ＥＤＦ）の再編をめぐって起きている問題も、10年前、20年前に下された決定の帰結です。この問題は、財政赤字の問題と同じで、ＥＵを崩壊させかねないデリケートなものです。フランス人にしてみれば、ＥＤＦは公共サービスとしてちゃんと機能していますし、ある種の倫理観のもとに運営され、株主に必要以上の利益を渡していません。そんな公共サービスがいま破壊されかねない状況になっているのです。

一方、ＥＵはグーグルやアマゾンなどの会社に対してきちんとした行動をとれていません。こうした企業は世界的影響力を持ち、ＥＤＦよりもずっと個人の自由や知るべき情報を妨げかねません。ＥＤＦの解体を阻止するには、欧州のルールから外れ、新しいルールを提案するしかありません。過去に失策があったからといって、その失策をこの先50年間引きずり続けるのは道理ではありませんから。

私はＥＵを強く支持しますが、それはＥＵが社会問題にしっかりと対処するプロジェクトである場合のみです。ＥＵを社会問題に取り組む連邦主義のプロジェクトにするための「欧州の民主化のためのマニフェスト」を作るのに私も参画しましたが、このマニフェストには10万を超える署名が集まりました。

ＥＵの加盟国による全会一致の決議がなければ物事を決められないというのは、やめるべきです。これはあまりにも偽善的であり、ナショナリズムの政党を利しています。一部の国々が、私たちの税基盤の一部を盗んでいるのに、それに対して何の対策も打てないのは、もはやありえません。企業の利益や二酸化炭素の排出量に課税しない国と貿易する際は、その「財政赤字」を課税で修正すべきです。これはトランプ流のナショナリズムの保護主義とは異なります。これは普遍主義のビジョンにもとづくものであり、万人を引き上げる政策なのです。

庶民階級を重視しない左派政党

――中道左派の政党が大規模な富の再分配に力を入れようとしないのは、ＥＵの解体を避けたいという配慮があるからなのでしょうか。

ピケティ　いつでも選択肢はあるのです。むしろ何の選択もしないほうがＥＵが崩壊する可能性を高めます。英国のＥＵ離脱を、英国人の気まぐれのせいにしてはいけません。あれはＥＵの失敗です。ＥＵの意義を英国の庶民階級に説得できなかったから、英国の庶民階級の圧倒的多数がＥＵ離脱に投票したのです。現在のＥＵのモデルは、経済的に恵まれ、自由に移動できる層に有利なものになっているのは間違いないのです。

――教育の拡充は庶民階級に有利な政策ですが、左派政党はそのような構想を持っていないのですか。

ピケティ　歴史的には、左派政党は「教育による解放」という理念のもとに作り上げられました。だから教育制度の恩恵を最も受けた社会集団が左派政党を支持するのは、それなりに理に適っています。ただ、現実には偽善があり、特にフランスでめだちます。教育に投じるお金の配分の仕方が非常に不平等なのに、左派政党はそれをまったく問題視しなかったのです。

学生一人当たりに投じられている予算を見ると、準備級からグランゼコールに進学するというエリートコースに進む学生には、普通の大学に進学する学生の3倍の予算が投じられています。社会的に恵まれていない階級が、より多く大学に進学するにもかかわらずです。

同じことが小学校や中学校でも言えます。社会的に恵まれた家庭の子どもが通う学校ほど、教員の平均給与が高くなっています。そういう学校では、教員は経験豊富で、正規教員が多く、非正規教員は少ないのです。その現実を見たら、「教育優先地域」の学校の予算を少しだけ増やしても、何の埋め合わせにもならないことがわかります。単に何かいいことをしている気分になりたくてやっているに過ぎません。

バラモン左翼は、中等教育と高等教育の大衆化という歴史的な動きを生み出すのに貢献しましたが、その栄誉に満足し、ほんとうに教育が平等なのかは考えてきませんでした。

——バラモン左翼は、自分たちの利益にかなうことだけを推し進めたということですか。

ピケティ　そこまで露骨ではありません。庶民階級が選挙で棄権するようになったので、投票する有権者の学歴が高くなり、それに応じて政党の政治綱領が高学歴層向けのものに変わっていったのです。もっともこれは鶏が先か、卵が先かの話になってしまいますけれどもね。いずれにせよ私が探しているのは問題の解決策であり、責任の追及ではありません。

富の再分配を左派の政策の中心にしなくてはいけない

――2011年に左派のシンクタンクであるテラ・ノヴァが、大卒と若者と女性こそが左派の未来だと書いていました。そこに庶民階級は含まれていませんでした。

ピケティ　これはほんとうに問題です。想像力が欠如しています。問題の責任は、市民、ジャーナリスト、経済学者、知識人など全員にあると思います。ベルリンの壁の崩壊後、左派の思考停止状態が悪化していました。グローバル化や教育といった分野で、平等をもたらす新しい政策が必要とされていたのに。経済システムの変革についても考えなくなっていました。

とはいえベルリンの壁の崩壊の衝撃は非常に大きかったので、左派が知的に立ち直るのにある程度の時間がかかってしまうのは仕方なかったのかもしれません。幸いにも、2008年の金融危機をきっかけに、民主的社会主義、環境保護的社会主義、フェミニズム社会主義といった思想が出てきています。若者がこうした運動に参画していることには希望が持てます。

――しかし、そのような左派は急進的であり、環境保護や反性差別、反人種差別、反イスラム恐怖症の運動が混ざりあっています。そのような思想では、左派は庶民階級の支持を集められないのではないでしょうか。

ピケティ　それを避けるためにも「富の再分配」や「平等」、「所有権」の問題を政策の中心に据えなければなりません。経済のシステムを変えられなければ、環境問題も不平等の問題も差別の問題も解決できないわけですからね。どうすれば資産を分散化できるのか、どうやって企業の利害関係者が権力を分かち合えるようにするのか、経済のシステムの中心部に切り込まなければなりません。

社会問題や環境保護対策の使命を企業に課しても、株主が企業の権力を握ったままだったら改革は不充分です。最近も、ＥＳＧ（環境・社会・ガバナンス）重視の経営をしていたダノンのエマニュエル・ファベールＣＥＯが投資ファンドによって退陣させられました。ダノンの取締役会には従業員代表が2名いましたが、16名の取締役会のうち、たったの2名です。ここを変えなければならないのです。

16名の取締役会のうちの8名が従業員代表だったら、株主の一部と連携してファベールが残れるようにできたかもしれません。ドイツやスウェーデンの労使共同決定を参考にし、それらを改善しながら採り入れていくべきです。

――フランスでは２０１７年の選挙でエマニュエル・マクロンが大統領になりましたが、これもバラモン左翼現象の帰結ですか。

ピケティ　マクロンが結成した政党「共和国前進」は、バラモン左翼と商人右翼を見事に連合させたものでした。左派と右派の両陣営から、所得、資産、学歴の面で最も恵まれた人たちを集めたのです。フランスの選挙の歴史を遡ってみても、エマニュエル・マクロンほど、社会的に恵まれた層に支持された人物はいません。経済学者のブルーノ・アマーブルとステファノ・パロンバリニは、このエリートの融合を「ブルジョワ連合」と呼んでいます。ただし、この連合がいつまで続くのかという点に関しては疑問が残ります。

――あなたは２０１７年に、左派の予備選を実施すべきだと主張されました。しかし、そのときの予備選で指名を受けた社会党のブノワ・アモン候補は、大統領選でたったの６％しか得票できませんでした。庶民階級が左派の予備選での討論会に魅了されなかったのは間違いないです。２０２２年のフランスの大統領選でも、やはり左派の予備選を実施すべきだとお考えですか。

ピケティ　庶民階級の間では、左派政党に対する幻滅感が非常に強いので、それがなくなるには、長い時間が必要です。ただ、左派以外の政党もあまり安定していません。右派政党もうまく機能していません。前述の「ブルジョワ連合」も不安定で、「黄色いベスト運動」の危機でも示されたように、脆弱化しています。

私はいまでも２０１７年の左派の予備選に、急進左派のジャン＝リュック・メランションが参加していれば、彼が大統領選の決選投票まで進めたはずだったと考えています。もしいま予備選をしたら、前回よりも有権者は強い関心を持ち、メランションは勝てるでしょう。

左派は互いを尊重しなければなりません。左派の各派閥は、特にＥＵの問題などに関して、自分たちこそが真実を把握していると信じ、考えを変えませんが、実際はそれぞれの派閥から学び合えるのです。

アイデンティティー政治が起きているのは欧米のみだ

――政治の対立軸が階級でなくなった結果、政治の対立軸としてアイデンティティーや人種が持ち込まれる傾向が強まっています。これは西側諸国だけで起きている現象なのでしょうか。

ピケティ　はい、西側諸国だけのことです。それ以外の民主主義国では、社会階級の対立が政治の基盤になる傾向が見られます。これが今回の研究で得られた成果の一つでした。この傾向はナイジェリア、タイ、ブラジル、インドなど、じつに多様な国で見られました。インドは宗教やカーストがいまも重視されますが、庶民階級はヒンドゥー教徒でもイスラム教徒でも、同じ革新政党に投票しているのです。インドで右派政党に投票するのはバラモンなど社会的に恵まれた階級の人たちです。

ここに私たちが学べる教訓があります。いま欧州や米国ではアイデンティティー政治の流れに巻き込まれていますが、これは決して必然ではないのです。政治の真の課題は社会階級や経済に関するものです。

民主主義国において政治の対立軸が階級であれば話し合いの余地があり、政治的な打開策を見つけることもできます。一方、民主主義国の政治の対立軸がアイデンティティーだと、ある陣営が別の陣営を打ちのめすことしか出口がありません。フランスで「イスラム左翼」をめぐる不毛な論争が起きるのも、これが原因です。

いままで南側諸国の政治というと、民族や部族の対立で動くと言われていましたが、そういった国々でも、政治の対立は階級を軸に起きるようになっています。これはいいニュースです。庶民階級が共通利益のために力を合わせるようになっており、それが民族や宗教にこだわって硬直する不毛な対立より強くなっているわけですからね。

デイヴィッド・グッドハート「15対50問題」——知的エリートと庶民を分断する「能力主義」

「私たちは社会の知的な部分に投資しすぎた」

Photo: Pier Marco Tacca / Getty Images

David Goodhart : «La méritocratie ne doit pas être un idéal de société» Le Point 20/10/10, Text by Laetitia Strauch-Bonart
デイヴィッド・グッドハート「社会が分断されたのは能力主義によってエリートが増えすぎたからだ」COURRIER JAPON 20/12/18

David Goodhart　1956年生まれのイギリスのジャーナリスト・作家。月刊総合誌「プロスペクト」共同創刊者。現在、イギリスの有力シンクタンク、ポリシー・エクスチェンジに所属。2017年刊行の『The Road to Somewhere: The New Tribes Shaping British Politics』は、ヨーロッパ内の分断状況を明らかにし、話題になった。他に『The British Dream』、新刊に『Head Hand Heart』（いずれも未邦訳）。

ブレグジット（イギリスのEU離脱）をめぐるエリートと庶民の分断を読み解いた『The Road to Somewhere（ある場所への道）』で大きな注目を集めたイギリスのジャーナリスト、デイヴィッド・グッドハート。その彼が新刊『Head Hand Heart（頭・手・心）』（未邦訳）で、能力主義と知性偏重の問題点を分析した。仏誌のインタビューをお届けする。

今日《こんにち》、私たちは「能力主義（メリトクラシー）」を美徳に結びつけている。まるで人びとが貴族や教会の権力から解放されたのは、能力主義のおかげだとでもいうように。

しかし「能力主義」という造語を初めて使用したイギリスの社会学者マイケル・ヤング

（1915〜2002）は違っていた。彼は「知性」という新たな階級による支配が始まるのではないかと恐れていた。彼によれば知性は、それ以外の人間の長所をないがしろにするものだという。

1958年に出版され、イギリスで話題になったディストピア小説『能力主義の台頭』（邦題『メリトクラシーの法則』至誠堂）のなかで、ヤングは2033年の大英帝国がこの新たな分断によって苦しむ様を想像している。

それから62年たったいま、特定の場所でしか暮らせない庶民と、どこでも暮らせるエリートの間の分断を描いた『ある場所への道』で知られるイギリスのジャーナリスト、デイヴィッド・グッドハートが、新刊『頭・手・心』を上梓し、ヤングと同様の考えを示している。

知的エリートと庶民の分断

——この著作で伝えたかったことは何ですか？

グッドハート　現代社会において多くの人びとが感じている、政治や社会の疎外感を理解したいと思いました。最近の著書『ある場所への道』で、私は「どこでも」通用するエリートの教育と「ある場所」でしか通用しない庶民の教育から生まれる価値の分断を示唆しました。

『頭・手・心』の私の関心は、この分断の原因です。私たちは知性を、つまりは知的能力と分析能力を、あまりにも重視し、過大評価してきたと思います。そのせいで、かつて私たちがほかの能力に与えてきた価値が切り崩されてしまいました。

つまり、私たちは「手」や「心」すなわち手仕事やケア労働に比べて、あまりにも「頭」つまり知性を特権化しすぎているのです。


――「頭」への批判が少し厳しすぎはしませんか？


グッドハート 私は人間の知性を敵視しているわけではありません。知性は重要です。たとえば今なら、才能に恵まれた人びとがインターネットを介して協働し、新型コロナウイルスに対するワクチンを開発するということは、何よりも重要です。

しかし私たちは社会の知的な部分に投資しすぎたと思います。私が大学に通っていた時、大学に通うのはイギリスの人口の10％以下でした。知的エリートはもっと少なかったのです。

民主的あるいは平等の観点からすると、知的エリートが増えることは前向きな動きに思えるかもしれません。しかし、それはある段階までであり、その段階を越えてしまうと、包含は排除を作り出しかねません。

——つまり、どのようなことですか？

グッドハート　私が「15対50問題」と呼ぶものです。30年前、フランスやイギリスでは、普通の家庭、普通の町の出身者はほとんど大学には行きませんでした。おそらく大学に行ったのは15％ほどです。それは深刻な問題ではなく、人びとは事務所や工場で働きはじめ、生活します。

しかし人口のほぼ半数が大学で勉強するようになると、エリート養成大学はいわずもがなですが、事態はまったく異なります。もしそのグループに入れなければ、おそらく自分を落伍者と感じるでしょう。

成功した人生の定義が、非常に狭いものになってしまうのです。大部分の西欧の豊かな国においては、大学に行き、高等教育を受け、「知的な」仕事に就くことがよいこととされています。さらに言うと、この安定した領域にたどり着くための梯子は一つしかありません。

以前は、中流階級のなかにも多くの小さなエリートが存在していました。いくつもの小さな梯子があり、ある意味で価値を測る方法がいくつもあったからです。今は、「知的階級」に到達するという唯一の目的に、すべてが吸収されてしまっています。そして、それとは別の領域で才能を発揮する人びとに対して、強い排除の感覚が生まれます。

増えすぎた知的エリート

――この排除の感覚の結果は危惧すべきでしょうか？

グッドハート　私は楽観的です。システムがおのずと修正されはじめているからです。とはいえ、何らかの政策も必要かとは思いますが。

私たちは「ピーク・ヘッド」（註：知的労働者数のピーク）に到達しました。知的業界はそれほど労働者を必要としませんが、高等教育が拡大されたことで、知的階級のなかにも優劣が生まれました。

その結果、この15～20年は、そのうちの多くの人が職に就けないでしょう。機械化が手仕事にもたらしたものを、人工知能が知的階級にもたらし、多くの「思考」が機械化され、アルゴリズムによってチェックされるようになるのです。

さらには、大卒者の数が増えているために大卒者の給料が下がり、待機という問題が生じています。若者たちは、たくさん勉強し、大学に行けば、人生は成功すると聞かされてきました。しかし、大学を卒業して5年、10年たっても、大卒者の3分の1はそれに見合った仕事をしていません。

この状況は、期待と現実の乖離に幻滅した人びとのあいだに、政治的な不均衡を産み出しています。このことがジェレミー・コービンやバーニー・サンダース、フランスではジャン゠リュック・メランションなど、現代政治における「ナイーヴな左派」に支持が集まる理由の一つです。

　同時に、技術的な職業への不均衡も生じており、人手不足は深刻です。

――それではあなたは、能力主義批判でよく言われる、能力主義の閉鎖性は問題だとは思わず、むしろ能力主義の支配が問題だとお考えなのですか？

グッドハート　閉鎖性、支配、どちらの批判も真実です。まず、能力主義は上手く機能していません。前の世代のエリートの子どもたちが、知的エリートになっています。

『The Tyranny of Merit』（邦題『実力も運のうち――能力主義は正義か？』早川書房）のなかで、ハーバード大学の政治哲学者マイケル・サンデルは、アイビーリーグ（アメリカ東部の名門大学グループ）の大学には世間の50％を占める貧困層よりも1％の富裕層のほうが多いことを指摘しています。イギリスにも同じような傾向があります。

　しかしそれ以上に、多少なりとも平等主義的な観点から能力主義を拒否したとしても、それは結局、不平等になるための平等な機会を誰もが持てるようになったにすぎません。能力主義は遍在しており、自由社会においては不可避のものです。というのも、親はいつでも自らの特権を、とりわけ文化的な特権を、子どもに伝えようとするからです。それが親というものです。

——知性による選抜で選ばれる人びとが増加するのを懸念されているということでしょうか?

グッドハート　1958年に『能力主義の台頭』を出版した当時のマイケル・ヤングと同様に、私は真の能力主義が作り出せたとしても、そのシステムは望ましくないと考えています。

多様な人間に単一の価値を押しつけるような集団性が、社会を苛烈な競争社会に変え、もっとも強い者が多くを得て、それ以外の者たちは落伍者という感情を抱く、それが理想だと、どうして信じることができるでしょうか。

しかし、私は能力主義に反対なのではありません。とくに職能を要するいくつかの職業については能力主義的な選抜は必要だと思います。試験に落ちた執刀医に手術を任せようとは思いませんから。

しかし、いくつかの職種における能力を重視した選抜と、能力主義社会とのあいだには違いがあります。能力主義は、社会の理想であるよりも、労働市場を構成する功利主義的な手段であるべきです。

このことは重要です。民主的な社会では恨みの感情が避け難い問題です。つまり民主的な社会では民主主義の理想と人間の多様な能力を共存させなければなりません。そうである以上、そこでの緊張が強すぎてはいけません。
しかし、このメッセージは複雑すぎて伝わりにくいですし、また、私たちの社会は能力主義が大好きなので、むしろ次のように言うべきだと思います。
「能力主義を人間の能力の別の領域へと拡大すべきだ」と。

手を使う労働やケア労働を評価するために

――具体的にはどうすればいいのでしょうか?

グッドハート　療養老人ホームで働く人びとの賃金がなぜ低いのか、経済学者に質問するとします。誰でもそれができるからだという答えが返ってくるでしょう。つまり、その仕事をするためには特段の知的資格は必要ないと考えられているのです。
しかし、当然のことながら、誰もがその種の仕事を正確に遂行できるわけではありません。私たちはこれらの職種に関する専門知識を客観的に評価する方法を持ちあわせていません。そのため、これらの仕事をする人びとを選ぶ能力主義的な選抜方法を理解していないのです。他人の世話をするにあたっての感情的資質を量的に評価することは非常に難しいことなのです。

——あなたは「手」と「心」に尊厳を与えるべきだとおっしゃいます。「尊厳を与える」というのは、お金を与えることでしょうか、それとも地位を与えることでしょうか？

グッドハート　その2つはたいてい結びついています。一般的には、地位は収入次第です。ただ、ときには、その結びつきがはっきりしないことがあります。たとえば芸術家のように名声が高くても、高い収入に結びつかない例もありますし、その逆の例もあります。優秀な配管工は1年に10万ユーロ（約1300万円）を稼ぐでしょう。

難しいのは、地位を測るのは簡単ではないことです。しかし、事態は徐々に変わってきています。先ほど申し上げたように、名声ばかりが高い人びとの数は頂点に達しているからです。

実際に電気技師や配管工が大卒者よりも多く稼ぐようになったら、若者たちはそちらの道を選ぶようになるでしょう。市場はこの問題を自然に解決すると純粋な自由主義者は言うでしょう。

たしかにそうですが、そうなるのは市場のシグナルの背後に価値観があってこそです。私のように考える人が増えはじめるなら、徐々に人びとは「心」と「手」の尊厳を認めるようになるでしょう。

——パンデミックはこの変化のすばらしいきっかけになりましたね。

グッドハート　はい。看護師は以前から高い地位にありましたが、今では看護助手も英雄とみなされるようになりました。

さらに、重要性を持ったのは「エッセンシャル・ワーカー」という考え方です。スーパーのレジ係、配達業者、清掃人など日常生活に必要不可欠な仕事に従事する人びとは、大学に行かずとも私たちの生活を支えています。

――あなた自身は知識人で、大学で学びました。ほかの人があなたと同じことをするのを拒否するのは少し安易ではないでしょうか？

グッドハート　たしかに私は比較的恵まれた環境の出身です。私はラッセル・グループの大学（註：オックスフォード大学やケンブリッジ大学などを含むイギリスの名門大学24校を指す）に通い、いまはそのキャンパスに住んでいます。子どもたちも同様です。

ですが、私はそのシステムには非常に批判的です。高等教育への道は制限すべきで、その人に合ったほかの領域へと人びとを誘導すべきだと思っています。もちろん、どんな出自の人でも高等教育をめざすことができればいいとは思いますが、高等教育に向いているのはほんの一握りの人だけです。

私がこう言うのは、該当する人びとのためを思ってのことです。つまり自動的に大学に進み、文系の勉強をして、その後は学んだことをほとんど思い出さないような人びとのことを思って言っているのです。

教育課程は多様であるべきで、多様な能力に対応すべきです。大学生が増えると、大学に通った人とそうではない人との間に価値の大きな断絶が生み出されます。ブレグジットやドナルド・トランプ選出のときに目の当たりにしたように、その後の政治的な選択においても見受けられる差異が生まれます。

私は、かつてもっと違ったふうにおこなわれていた教育を、大学が提供すべきだとも考えています。30年前、人は徐々に段階を踏んで現場監督になることができました。コミュニケーション力やモチベーションを評価され、仕事をしながら学んで、現場監督になるのです。

現在は、同じ結果に到達するためには、まったく必要がない経済理論を学んで学位を取得する必要があり、建設現場で過ごすことはほとんどありません。

——知識人は手を使う労働を理想化する傾向がありませんか？　とてもたいへんな仕事だと思いますが。

グッドハート　たしかに、手仕事を美化しすぎてはいけませんが、知的労働に対しても同じことが言えます。その利点を誇張しすぎてはいけません。私たちの社会が手仕事へのある種のノスタルジー（料理番組の人気からもわかることですが）に浸っているなら、それでは何にもなりません。

手仕事は、集中と謙虚さを要求し、血肉となります。それは、まったく正常な世界との結びつきなのです。

ジェイムズ・スタヴリディス
2034年、米中戦争のシナリオ

「破滅的な結果を免れる方法を見つけなければなりません」

Photo: Yasin Ozturk / Anadolu Agency / Getty Images

James Stavridis : «War With China Over Taiwan Is Not A Fictional Worry» Noēma 21/5/5, Text by Nathan Gardels
「2034年、『米中戦争』勃発のシナリオ　元NATO軍トップが語る『第三次世界大戦』の現実味」 COURRIER JAPON 21/6/8

James George Stavridis　1955年生まれ。元NATO軍最高司令官。海軍大将などを務めたのち、米海軍出身者では初のNATO（北大西洋条約機構）欧州連合軍最高司令官となる。米海兵隊出身の作家エリオット・アッカーマンとの共著で、近未来の米中戦争を描いた小説『2034：次なる世界大戦』（邦訳は2021年9月刊行予定、二見書房）が大きな反響を呼んでいる。他に、『海の地政学──海軍提督が語る歴史と戦略』（早川書房）など。

元NATO軍最高司令官のジェイムズ・スタヴリディスが、米中戦争を描いた小説『2034：次なる世界大戦』が反響を呼んでいる。同作は米海兵隊出身の作家エリオット・アッカーマンとの共著で2021年3月に出版され、アメリカと中国が核戦争へと突入していく様子が描かれている。2034年「米中核戦争」勃発の現実味について、スタヴリディスに米メディア「ノエマ」が聞いた。

──『2034』は今から13年後の未来を舞台にしていますね。中心となるプロットでは、中国が米艦隊のデジタル制御システムを無力化して沈め、台湾を制圧してしまいます。中国の優位性は、自国艦隊の動きを隠しながら、衛星やインターネット通信を遮断する能力にあると描かれています。あと何年ぐらいで、米中のサイバー軍事力にこれだけの差がついてしまうのでしょうか。

スタヴリディス　軍事的な攻撃を目的とするサイバー技術、ＡＩ（人工知能）、マシンラーニング、量子計算の領域においては、今のところアメリカが中国よりわずかに優っています。しかし、その差は急激に縮まっており、それはたとえば、元グーグルＣＥＯのエリック・シュミットが委員長を務める「ＡＩに関する国家安全保障委員会」の報告書でも指摘されています。

10〜15年後、つまり『２０３４』の時代設定の頃には、こうした技術領域のすべてにおいて、中国がアメリカを追い抜く可能性がきわめて高いと私は考えています。まだ流れを変える時間は残されていますが、関係領域の趨勢《すうせい》を見る限り、アメリカにとって有利な状況であるとは言えません。

――中国に後れを取らないようにする、あるいは追い越していくには何が必要なのでしょう？

スタヴリディス　科学、技術、工学、数学、つまりＳＴＥＭ教育課程の各段階に対し、財源の投資を強化していくべきでしょうね。この領域で最も優れた学生たちを選び出し、その才能を伸ばす。国内トップレベルの大学におけるコンピュータサイエンス、AI、量子計算分野で、新たな修士プログラムを創設する。さらに、こうした領域の基礎研究や開発に対する財政支援を増やすことも大事です。

民間セクターでは、米国防当局との協力にインセンティブ（報奨）を与えたり、日英仏独などのSTEM分野に強い同盟国との連携を促したりすることが重要でしょう。また、これらとは別に、核兵器使用に結びつくサイバー技術の抑止体制を構築していかねばなりません。

中国は2034年を待たずに動くかもしれない

——軍事戦略家のなかには、米中の現在の軍事力を比べても中国が優っており、仮にいま戦争が起きたとすれば、アメリカとその同盟国は台湾を防衛できないと予測する人もいます。この評価は正しいでしょうか？

スタヴリディス　そうですね、ワーテルローの戦いについてのウェリントン公爵の言葉を借りれば、「これまでにない接戦」になるでしょう。個人的にはまだアメリカは勝てると考えていますが、かなりの激戦になり、双方で多くの血が流れるでしょう。

そのような破滅的な結果を免れる方法を見つけなければなりません。『2034』を書いた理由の一つは、1914年にヨーロッパ諸国がいつのまにか第一次世界大戦に突入してしまっていたように、戦争へとなだれ込んでしまう事態を回避できるよう、警鐘を鳴らしておきたかったのです。

――最近、オーストラリアのある防衛専門家が、中国の習近平国家主席は「中国統一」に専心しており、偉大なる中華文明復権の到達点として台湾の軍事的併合を目論んでいると主張しました。同じように見ていますか?

スタヴリディス　ええ、私も同じ見解です。そしてより注目すべきは、米インド太平洋軍のフィリップ・デビッドソン司令官が2021年3月の議会公聴会で、中国の台湾に対する軍事行動が今後6年以内に始まるだろうと証言したことです。

彼は諜報機関から上がってくるあらゆる情報に目を通し、こうした戦争のシナリオを毎日考え抜いてきたわけですから、その言葉は傾聴に値します。

――中国の指導部が、現在の軍事力のバランスがわずかにであれ自国に有利な状況にあると捉え、一方のバイデン政権とその同盟諸国は、台湾の防衛を約束しているとします。そうなると、中国としては、西側諸国が防衛体制を強化する前、今のうちに台湾を攻撃すべきだと考えるのではないでしょうか?

スタヴリディス　それがまさにデビッドソン大将の考えなのです。私もそう思いますよ。

――アメリカは台湾の防衛のために戦争に進むべきでしょうか？

スタヴリディス　そうならないために、私たちが今すべきなのは、台湾との距離をこれまで以上に縮め、中国が簡単に手を出せないようにすることです。つまり、合同軍事訓練や演習をやりつつ、インテリジェンスや情報共有を強化し、攻守両面におけるサイバー戦力や先進ミサイル防衛システムなどの向上が必要になってきます。

台湾は全身針だらけのヤマアラシみたいなものだと考えてください。中国という大蛇を倒すことはできないかもしれませんが、丸のみするにはなかなか骨が折れる存在にはなれると思います。これが現実に抑止効果として働きうる、ということですね。

その一方で中国に対しては、台湾侵攻は決して許容できないし、そうした暴挙に出た場合、アメリカは外交的かつ経済的な制裁を厳格に科すと、はっきりと伝えていくべきでしょう。軍事的な対抗手段に出る可能性も含めて、毅然とした態度を示しておくべきです。

日本も含めた「クアッド」の重要性

――小説内では、太平洋を挟んだアメリカと中国の争いに乗じて、ロシアが念願のバルト海沿岸部とポーランド周辺域を侵略する様子も描かれています。ロシアの動きにまったく備えがなく、団結して抵抗することもできないＮＡＴＯを、西欧の「退化した組織」と表現していますね。フランスのマクロン大統領が「NATOは脳死状態だ」と言ったのを思い出しました。

スタヴリディス　NATOなどの同盟関係、あるいは二国間のパートナーシップでも友好関係でも構いません。アメリカがいま国際社会で享受している同盟関係を「庭」に例えてみましょう。庭で植物を育てるには、丁寧に世話をして、栄養をやり、時には雑草を抜いてやらなきゃいけませんよね。

それと同じで、トップレベルの外交訪問や、共同軍事訓練、さらに北朝鮮、イラン、ロシア、中国などをめぐる主要な国際問題に関しての協力体制の構築は、きわめて意識的におこなっていく必要があります。各国が同じ危機感と、国際社会における民主主義を守ろうとする姿勢を共有すれば、各国間の軍事費支出の差に対する不満などの問題も克服できるはずです。

チャーチル（元英首相）は、同盟国とともに戦争するより悪い唯一のことは、同盟国なしに戦争することだと言っています。バイデン政権はこれをよくわかっていて、同盟という庭の手入れにかなり努めています。この努力を一貫して続けられたとすれば、NATOも安泰だと思いますし、米日豪印の4ヵ国による協力体制「クアッド」も大丈夫でしょう。クアッドは、アメリカにとって新たな戦略的基盤となりつつあります。

――小説では、ロシアが大西洋の海底を走る光ファイバーケーブルを切断し、首都ワシントンを含むアメリカ東海岸一帯を混乱に陥れます。世界の海に敷設されているこうした海底ケーブルは、どのくらい脆弱で、どうすれば防衛できるのでしょうか。

スタヴリディス　そうした海底ケーブルは、数としてはそれほど多くありません。インターネット通信に不可欠なのはせいぜい数百本といったところでしょう。しかし、実際それらは脆弱なんですね。原子力潜水艦を備える軍事大国からの攻撃に耐えうるほどに海底ケーブルを強化するのはかなり難しいです。

ゆえに、海底ケーブル防衛の最善策は抑止力でしょう。つまり、それを攻撃することは、我が国の経済に対する重大な攻撃とみなし、直ちに相応の反撃に出るという姿勢を、敵国に示していくことが大事なのです。

中国とロシアの接近は止められない

――今のところ、バイデン政権はロシアや中国との対決姿勢を崩していませんが、結果、この両国がさらに近づいて西側諸国への敵対姿勢を強めています。これは、中露の分断を図ったキッシンジャー・ニクソン戦略とは真逆になりますね。

スタヴリディス　我々がどう動こうと、ロシアと中国は接近していきますよ。世界的に見ても専制主義国家の双璧ですから、外交面でも経済面でもおのずと関係を強化していくはずです。いわば、互いに補い合う関係ですね。

ロシアには豊富な天然資源を擁する広大な土地の力があり、一方の中国には莫大な人口の力がある。もちろん広く国境を接しているという事実を含めて、両国には自然と調和が取れるような条件がそろっていて、それが二国間の協調に繋がっているわけです。

――多くの不和にもかかわらず、習近平国家主席とプーチン大統領は、先ごろバイデン大統領が主催した気候変動サミットに出席しました。今や地政学的な対立を越えて、地球規模の気候変動問題に対処していかねばならない現実があります。逆説的ではありますが、地球温暖化をめぐる共通の危機は、全面的な冷戦に発展しつつある緊張をやがて緩和してくれるでしょうか?

スタヴリディス　そう期待したいものですね。対中国・ロシアに関して、私の考えは非常にシンプルです。立ち向かうべきときには立ち向かい、協調できる分野では協調する。

たとえば、国内の選挙に介入されたり、人権侵害がおこなわれたり、南シナ海の領有権を主張されたり、台湾が脅かされたりしたときは、毅然と立ち向かわねばなりません。一方の協調では、気候変動問題もそうですが、次なるパンデミックへの備え、人道支援、軍縮などが考えられます。あとは少なくとも、サイバー攻撃に対する抑止体制構築へ向けて協議を始めることもできるでしょう。

『２０３４』を書いたのは、ちょっとした誤算がアメリカと中国を戦争に導いてしまう可能性があることを示すためです。緊張がエスカレートしていく段階で制御しそこなったとか、相手側の狙いを読み違えたとか、そうした計算ミスが原因で突入した戦争は、絶対にどちらの得にもなりません。

キショール・マブバニ
中国「戦狼外交」は本当か

「西側諸国は『長い歴史』を理解していない」

Photo by Kunal Patil / Hindustan Times via Getty Images

Kishore Mahbubani : «Le jour où la Chine commandera» Le Point 21/3/18, Text by Jérémy André
「キショール・マブバニ『西側諸国は「長い歴史」を理解していない。中国が復権するのは自然な流れだ』」COURRIER JAPON 21/5/12

Kishore Mahbubani　シンガポールの元外交官。1948年生まれ。外務次官、国連大使を歴任し、その後、リー・クアンユー公共政策大学院院長。現在、シンガポール国立大学名誉フェロー。アジア屈指の論客として定評がある。2008年に発表した『「アジア半球」が世界を動かす』（日経BP社）では、西欧が世界を動かす時代は終わったとする〝西欧衰退論〟を展開し、論議を呼ぶ。他に『ASEANの奇跡』（新日本出版社）。

中国に覇権を握られるのではないか――パンデミックが発生して以降は一層、そんな「不安の声」が西欧諸国をはじめとする世界各国で聞かれるようになった。

だが、そもそもこうしてアジアの大国が躍進することは自然な流れだと長年語ってきた人物がいる。シンガポールの元外交官、キショール・マブバニだ。アジアを代表する論客として活躍してきた彼に、米中関係の展望について仏誌「ル・ポワン」が尋ねた。

ソ連崩壊から30年が経ったいま、世界は新冷戦の時代に突入しようとしているのだろうか。衰退の兆しが見られる超大国のアメリカと、野心を抱く全体主義国家の中国の対立が深まっている。

アメリカのジョー・バイデン大統領は、前任のドナルド・トランプの演説をほぼ一字一句踏襲し、中国の封じ込めの必要性を語っている。バイデンが大統領になって変わったのは、語調が少しだけ攻撃的でなくなったことくらいなのだ。

シンガポールの元外交官キショール・マブバニは国連大使も務めた高名な学者だ。長年、アジアの躍進によって西側諸国の力が相対的に弱まると論じてきており、その予測は的中したといっていい。

2020年に上梓した著書『勝つのは中国なのか?――アメリカの覇権に挑む中国』(未邦訳)では、中国が世界ナンバーワンの国に浮上するのは時間の問題であり、アメリカがそれを阻止しようとするのは思い上がりも甚だしく危険だと書いている。また、EUが果たすべき重要な役割は米中の攻防が破滅的な衝突になるのを防ぐことだと語り、レアルポリティーク(現実政治)の世界における多国間協調主義の理想を説く。

マブバニには米中共存のための新しい策が見えているのだろうか。

21世紀はアジアの世紀

――中国が勝つと言うには、まだ早すぎるのではないでしょうか。

マブバニ　たしかに、現時点で米中のどちらが勝つのかを言うのは時期尚早です。しかし、中国にも勝つ可能性があると言うのは時期尚早ではありません。アメリカ人は勝つことにすっかり慣れてしまい、自分たちも負ける可能性があることを想像できなくなっています。アメリカの歴史は、たかだか２５０年です。４０００年の歴史がある文明に負ける可能性があるのは明らかでしょう。

――マブバニさんご自身は中国の勝利を願っているのですか。

マブバニ　中立の立場から合理的で客観的な分析をするのが私の仕事です。私は自分の願望を語りません。ただ予測をするだけです。

中国はすでに世界第2位の経済大国です。10〜15年後には世界一になると確言できます。中国の復権はもはや止められないのです。中国はこの２０００年間のうち、１８００年ほどは世界一でした。再び世界一の大国になるのはきわめて自然な流れでしょう。

アメリカなどの西側諸国には、中国復権を阻止できると考える人もいるようですが、それはただの呪術思考であり、「長い歴史」が理解できていないだけです。

――勝つのは中国というより東アジアなのではないでしょうか。

マブバニ　私は30年以上前から21世紀はアジアの世紀だと言ってきました。ただ、この『勝つのは中国なのか?』という本では、米中という二超大国の異例の攻防について書いています。人類史上、アメリカほど強大な力を持った国はありません。そのアメリカに、いま中国が挑んでいるのです。

中国の指導者たちの夢

――ソ連はアメリカに勝てませんでした。どうして中国なら勝てるのですか。

マブバニ　私は1970年代の頃から外交官でしたが、あの頃、冷戦で勝つのはソ連だと断じて間違えた人がいました。だから米中のどちらが勝つのかについて、私は判断を慎重にしたいと考えています。もちろん今回もアメリカの勝利に終わる可能性は充分にあるのです。

私は前述の著書でも「どんなときもアメリカ合衆国を見くびってはならない」という内容の一章を、習近平に向けた警告として書きました。ただ現時点では、相手の国を見くびる大きな過ちを犯しているのはアメリカのほうです。

ソ連は世界の舞台では比較的新しく、建国から1世紀も経たないうちに消滅した国家でした。それに対し、中華文明には4000年の歴史があります。またソ連の人口は一度もアメリカの人口を上回ることがありませんでしたが、中国の人口はアメリカの4倍です。さらに、ソ連の経済はアメリカの経済の発展についていくのですら四苦八苦でした。一方、中国の経済は購買力平価（商品の価格を基準にした為替レート）で見るとすでに世界一です。

――中国は高齢化問題を切り抜けられるのでしょうか。

マブバニ　高齢化は中国だけの問題ではありません。アメリカも移民の受け入れをやめたり、ドナルド・トランプが復活したりしたら、人口増加の速度はいまよりも落ちます。中国の場合、出産奨励政策に戻れば、人口はまた増えるでしょう。いずれにせよ、たとえ中国の人口が減ったとしても、アメリカの人口よりはるかに多い事実に変わりはありません。

――中国共産党は「共産主義」の政党というよりも「中国」の政党なのだと指摘されています。これはどういう意味ですか。

マブバニ　アジアで中国の動向を追っている人なら皆わかっていることですが、中国共産党の目標は共産主義を復活させて世界に輸出することではありません。共産主義は中国の指導者が国の統治に使う道具に過ぎない。指導者たちの夢は、中国の栄光を取り戻すことなのです。

――ドナルド・トランプも米中関係を損ないましたが、その前に習近平も米中関係を損なったといえませんか。

マブバニ　西洋人は個人に目を向けすぎです。歴史を学べば目を向けるべきは構造的な力のほうだとわかります。

歴史を長期で見れば、新興国家が台頭し、その力が覇権国家を凌駕するほどになると、覇権国家が新興国家を抑え込もうとする動きが出てくるのです。仮にいまの中国の指導者が非暴力主義を掲げるガンディーだったとしても、アメリカは中国を抑え込みにくるはずです。

アメリカ人は習近平の自信と野心に不安を抱くようですが、習近平の自信と野心は、中国人の要望に応じたもの。アメリカは習近平がいてもいなくても、中国をアメリカのグローバルな覇権に挑む大国とみなすはずです。

「中国という獅子を起こすな」

――中国外交の押しの強さがめだちます。「戦狼」と呼ばれる、けんか腰の中国大使たちについては、どうお考えですか。

マブバニ　鄧小平の頃の中国外交はいまよりも謙虚でしたが、微力でした。当時の中国経済は、購買力平価で見てもアメリカの10分の1でしたからね。いま中国のGDPは、購買力平価で見ればアメリカを上回っています。だから中国は堂々と外交を展開しているのです。

　中国の外交官の一部に不心得者がいて、その人たちが「戦狼外交」をして、フランスなどの国で煙たがられています。ただ、駐米中国大使の崔天凱《さいてんがい》（インタビュー当時）などのように、説得力をもって状況を落ち着かせようとしている外交官もいるのです。中国の外交官が全員、戦狼になったわけではありません。

――中国はインド、台湾、日本、南シナ海などで国境線を変更しようとしていると批判されています。中国の膨張主義はアジアの平和に対する脅威ではありませんか。

マブバニ　中国は膨張主義ではありません。膨張主義の国家は、軍隊を使って領土を征服して拡張していきます。中国はこの42年間で一度も戦争をしていない唯一の大国で、最後の戦争は１９７９年の中越戦争です。１９８０年代後半にベトナムとの小衝突がありましたが、その後、中国の軍が発砲したこともありません。２０２０年６月にインドとの衝突で死者が出ましたが、そのときも銃器は使われていませんでした。中国は世界のどこに対しても領土征服の意欲を抱いていないのです。

　中国は強くなるにつれて堂々と要求するようになっており、それが一部の国々を不安にさせています。しかし、世界はあらゆる手段を使って中国が平和的な国家でありつづけるようにしなければなりません。中国を武力で領土拡大を狙う国家にしてはなりません。ナポレオンの有名な言葉のとおりです。

「中国という眠れる獅子を起こすな。目覚めれば世界全体が揺れる」

西側諸国の政策の多くは軽率であり、中国を眠らせずに、目覚めさせているところがあります。

――中国には台湾への武力行使を主張する人もいます。どうして中国の指導者たちは、ナショナリズムを抑えようとしないのでしょうか。ナショナリズムは、中国の発展を損ないかねません。

マブバニ　台湾の問題を理解するには、1842年のイギリスへの香港割譲から1949年の中華人民共和国建国まで、中国が耐え忍んだ「百年国恥」に遡らなければなりません。台湾は1895年に日本に割譲されています。中国側にしてみれば、台湾はつねに中国の一部だったのです。またアメリカは1971年に中華人民共和国との国交を回復しはじめてから中国と台湾は一つの国だと認めています。いわゆる「一つの中国」政策ですね。

問題は、この二つの制度がいつ再統一されるか。世界中のすべての人が平和的な再統一を望んでいます。そのためには台湾を独立国にしようとするあらゆる試みを排さなければなりません。台湾が独立国になろうとすれば、中国軍は介入せざるをえないでしょう。習近平などの中国の指導者が、台湾の独立の問題で弱腰になれば、その政権は中国の人民によって転覆されてしまうからです。

米中新冷戦を避けるために

——新型コロナウイルス感染症によって新冷戦は不可避のものになったのでしょうか。

マブバニ　人類は地球で最も知的な生物種であり、そんな人類が全員同じ一つの船に乗っています。

この船が火事になったとき、火事の責任が誰にあるのかを追及することほど愚かな行為はありません。まずは力を合わせて火を消すべきなのです。

新型コロナウイルスの感染が広まったとき、トランプ政権がしたことは愚かでした。中国を非難し、協力を拒み、ＷＨＯ（世界保健機関）からの脱退を宣言しました（２０２１年１月にバイデン大統領が脱退を撤回）。バイデン政権に理解してほしいのは、地球温暖化であれ、新型コロナであれ、グローバルな重要問題においては米中に共通の利害があるということです。

——ジョー・バイデンがドナルド・トランプよりも上手くやっていくには何をすべきですか。

マブバニ　アメリカにおいて、中国への見方が非常に不健全なものになっているのが悲劇です。ジョー・バイデン大統領は、中国に対して少しでも弱腰だと見られれば全方面から攻撃を受けてしまう状況にあります。だからバイデン大統領は、きわめて老獪《ろうかい》になる必要があるでしょう。表向きは中国を攻撃しつつも、アメリカの国益にかなうところがあれば、裏で中国と手を結ぶのです。

ジョー・バイデンの最大の課題は内政であり外政ではありません。アメリカでは富裕層以外が貧しくなっており、白人の労働者階級のあいだに膨大な絶望感が広がっています。この状況がドナルド・トランプを大統領に押し上げたり、２０２１年１月６日の連邦議会議事堂襲撃事件を起こしたりしているのです。

中国との協力は、こうした経済問題の解決策の一つです。経済の問題が解決しなければ、ドナルド・トランプが戻ってくることになります。

——新型コロナの流行が始まって以来、中国が閉鎖的になる傾向が強まっています。中国は毛沢東や清王朝時代の孤立主義に戻るのでしょうか。

マブバニ　中国がまた孤立を選ぶことはないと確信しています。中国は何が「百年国恥」の原因となったのかをしっかり調べて突き止めているのです。それは中国が世界で孤立し、イノベーションから切り離されていたことが原因でした。

習近平は2017年のダボス会議での演説で、中国が成功できたのはグローバル化の大海に飛び込んだからだと言っています。荒波にも遭ったりしましたが、それを切り抜けて世界最大の貿易国になったのです。中国はこれからもグローバル化を進めていくでしょう。なぜならアメリカとは異なり、中国はグローバル化への信頼を失っていないからです。

中国が2020年に「地域的な包括的経済連携（RCEP）協定」に署名したのに対し、アメリカが2017年に「環太平洋パートナーシップ（TPP）協定」から離脱したのは対照的でした。

――米中新冷戦を避けるためにEUやフランスは何ができるでしょうか。

マブバニ　米中の地政学的緊張関係はEUにとってチャンスです。バランスをとる役を果たせます。

50年前、ヘンリー・キッシンジャーは、中国をアメリカ側の陣営に引き込む革命を成し遂げました。いまのEUにも同じようなチャンスが転がっています。EUは政治と文化の両面でアメリカと緊密な関係を維持しながらも、欧州と中国という二つの「古い文明」の関係も維持するのです。そうすれば米中の両方の市場にアクセスでき、欧州の影響力を高められます。そのためには地政学上の抜け目のなさが必要です。

これもキッシンジャーが言っていたことですが、欧州の問題は、誰に電話をかければいいのかわからないところです。とはいえ、イギリスがＥＵを離脱したので混乱が解消したところもあります。イギリスがいなくなったので、フランスとドイツは、以前よりもアメリカから独立した役割を果たせるようになっています。

第３章　資本主義の諸問題

ガブリエル・ズックマン
「極端な富」(Extreme Wealth) は
なぜつくられたか

「米国に累進課税制度があったときのことを見てください」

Photo: Lea Suzuki / The San Francisco Chronicle via Getty Images

Gabriel Zucman: «"Los impuestos que no pagan los 'youtubers' los acabamos pagando los demás"» El País 21/2/13, Text by Pablo Guimón

「経済学者ガブリエル・ズックマン『格差をつくったのは富裕層への低税率政策です』」COURRIER JAPON 21/4/10

Gabriel Zucman　カリフォルニア大学バークレー校准教授。１９８６年パリ生まれ。専門は、経済学、公共政策。特に経済的不平等のメカニズムを中心に研究をおこなう。２０１９年にはベルナセル賞とスローンリサーチフェローシップを受賞。20代のときに書かれた『失われた国家の富——タックス・ヘイブンの経済学』（NTT出版）は、タックス・ヘイブン（租税回避地）の実態を経済学的に検証し、大きな注目を集める。エマニュエル・サエズとの共著『つくられた格差——不公平税制が生んだ所得の不平等』（光文社）は、１９８０年代以降、富の極端な集中がグローバルな格差を生むメカニズムを明らかにしている。

「富の集中と格差」の解決策とは？

パリ出身の経済学者ガブリエル・ズックマン。彼のキャリアに決定的な影響を与えたのは、若い頃に経験した2つの出来事だった。

一つは、思春期に起きた衝撃的な政治上の出来事。２００２年のフランス大統領選（２回投票制）の1回目の投票で極右のジャン＝マリー・ル・ペンが社会党のジョスパンを破り、2回目の投票に進んだことだった。

ズックマンは抗議デモに参加し、それ以来、彼はこのような嘆かわしい事態が再び起きないようにするにはどうすればいいかを懸命に考えてきた。そして「グローバリゼーションと正義は両立しない」という思想は、人びとを超国家主義的で外国人嫌いのリーダーが惹きつけることを理解しはじめた。

もう一つは、2008年のリーマンショックだ。パリ経済学校でトマ・ピケティに師事し、経済学を学んだズックマンは、リーマン・ブラザーズが破綻した次の月曜日に働きはじめた。彼はある投資会社のクライアントに世界経済で起きていることを説明しなければならなかったのだが、そんなことは誰にもわからなかった。

何が起きているかを説明できない主流派の理論に懐疑的だったズックマンは、経済大国から小さなタックス・ヘイブンに向けた莫大なお金の流れを研究するようになった。そして、そこに「極端な富」と「格差」との関係という隠された世界を発見した。

「1980年以前の累進課税制度」を再構築せよ

現在、ズックマンはカリフォルニア大学バークレー校の准教授だ。同じくフランス人でカリフォルニア大学教授のエマニュエル・サエズと共同で取り組んだ格差に関する研究は、バーニー・サンダースやエリザベス・ウォーレンに見られる米国の新しい左派の提案に影響を与えた。サンダースもウォーレンも民主党の予備選挙で敗北したが、世論調査によると、二人は政治的な議論を世論に近いところに引き寄せた。

ズックマンとサエズの共著『つくられた格差』はいまや、１９８０年代の「保守革命」によって形成された社会を理解するうえでの必読書だ。

ピケティ、サエズ、ズックマンの仕事を共同作業と捉えた場合、『つくられた格差』は、新たな一歩を示している。富の極端な集中がグローバルな格差に与える影響を定義した後で、今度は解決策を提案しているからだ。そしてその解決策とは、１９８０年代までの米国にあったような累進課税制度を、より強固で21世紀に適応したかたちで復活させることだという。

ズックマンとサエズでは、ズックマンのほうが若く、彼が書籍をプロモーションし、アカデミックな枠を超えた公の議論やツイッターで叩かれる役目を引き受けている。

税政策は、その他のすべてに影響を及ぼすことから民主的な社会ではもっとも重要であるとズックマンは言う。ところが累進課税制の劇的な崩壊は、不透明なプロセスだった。近代史上はじめて、資産所得に対する税率が、労働所得に対する税率を下回り、このため米国の超富裕層は教師より少ない税金を払うような事態が起きている。

いまこそデータを精査すべき

――なぜ、こうなってしまったのでしょうか。

ズックマン　一つの要因は、法人税をめぐる競争です。各国が資金や工場を誘致したくて、法人税をこぞって下げていったことです。

もう一つの要因は、租税回避や脱税の増加です。これは富裕層や多国籍企業が租税回避、そしてときには脱税するのを助ける産業が発展したことに起因します。

ここで強調したいのは、法人税を下げる競争も、租税回避も、自然法則ではなく、政治的決断がもたらしたものだということです。EUでは、貿易や共通通貨の導入など、さまざまな分野で協調を図ってきました。税政策でも同様にできたはずです。

――何が改革を妨げているのでしょうか。

ズックマン　富裕層や資本に対する税率を下げるのは良いことだと、純粋に信じている人たちがいます。そうすれば富裕層はより多く貯蓄し、より多くのビジネスを生み出し、それが残りの人びとにも利益をもたらすと彼らは信じているのです。これが「トリクルダウン理論」と呼ばれるものです。

すべての経済理論がそうであるように、この理論も一定の説得力はあります。けれども、それが正しいかどうかを評価するには、経験的データを精査する必要があります。ところがデータは、これらの理論を裏付けていません。

もう一つの要素は、私利私欲によって政治が一部コントロールされていることです。富の集中という現象は、富裕層が政治に与える影響力の増大とともに存在してきました。それが、こうした税政策が続いてきた一因です。

トリクルダウン理論の機能不全

――それは今後も続くのでしょうか。

ズックマン　すでに新しい時代のはじまりの前に立っているかもしれません。富裕層への低税率政策は1980年代に導入されました。理論的には一見、擁護できるものかもしれませんが、導入からすでに何十年も経過しているため、何が起きたかを調べることができます。

すると格差が大幅に拡大したことがわかります。けれども国民全体の収入が増えて、富裕層の収入はさらに増えた、というわけではありません。40年間で、国民の半数を占める労働者階級の所得の伸び率はほぼ0％だったのに対して、富裕層のそれは大幅に増えました。

40年が経ってこうしたデータが明らかになったいま、トリクルダウン理論は当初考えられていたようには機能していなかったことがわかりました。改革が必要なことを理解すべきときに来ています。

――そのためのデータやツールはあるが、人びとの「考え方」を変えなければならないと著書に書かれています。それには、どうすればいいのでしょうか。

ズックマン　端的に言うなら、こういうことです――米国に累進課税制度があったときのことを見てください。第二次世界大戦後の30年間がどういうものだったかを見てください。この間の経済成長、イノベーション、格差の状態を見てください。

成人一人当たりの平均所得の成長率は、1980年代以降は年平均1・4％だったのに対して、1950年から1980年までの30年間は2％でした。つまり1980年代以前のほうが成長率は高かったのです。そして何よりも、その成長は当時、より偏りのないものでした。この間、国民のほとんどの所得が2％成長しました。つまりこの30年間の所得の成長は、国全体を底上げするものだったのです。

一方、1980年以降の平均所得の成長率が1・4％という数字の裏には、労働者階級の成長率は0％なのに対して、上位1％の成長率は5％や6％である事実が隠されています。

いま言ったことは完璧なエビデンス（根拠）ではありません。でも、ある国を無作為に選んで、税率だけを変えて、経済がどう変化するかを見るような実験はできないため、これが私たちの手元にある最良かつ唯一のエビデンスです。

そしてこのエビデンスに照らし合わせると、富裕層への税率を低くすることが、「国の成長や労働者階級にとって良いことだという主張」は、まったく妥当ではありません。データを見て、そのような結論に至るのは合理的ではありません。

「個々の富の最大化」が優先事項

――スペインでは最近、ユーチューバーの一部が「多額の税金を払っているためアンドラに移住する」と公言したことをめぐる議論がありました。興味深いのは、若いフォロワーの多くがそれを支持した一方で、年配の人たちが、それを不正だと指摘した点です。これは「考え方」を変えなければならないとするあなたの意見からすると、あまり望ましくないことのように思えます。

ズックマン　これは世代間の問題ではないように思います。それより、前に進む唯一の方法は、個人がその富を最大化することであり、税金はその妨げになると考える人たちがいることが問題なのだと思います。

そのようなイデオロギーは存在しますが、若い世代にはそれほど浸透していません。少なくとも米国の世論調査によると、若者は累進課税制を圧倒的に支持しています。

それより私が懸念しているのは、多くの人が「何もできない」と思っていることです。「ユーチューバーがアンドラに行ったからといって、何ができる」というようにね。

だから、こうした行動の影響がとても深刻なことを説明するのは、とても大事なことなのです。というのも、富裕層が払わない税金は、残りの私たちが払うことになるか、その分、政府が教育や医療、インフラなどの予算を削減しなくてはならないからです。

――「所得の最高限度額」という今日では急進的に思える考え方は実際、米国に数十年間、存在していました。

ズックマン　フランクリン・ルーズヴェルトは1942年、議会でこう発言しました。

「いかなる米国人も税引き後の所得が2万5000ドルを超えるべきではないと信じている」

これは現在の100万ドル（約1億円）に相当します。そのためルーズヴェルトは「税引き後の所得が2万5000ドルを超える場合は、超過分の税率を100％にすることを提案する」と言ったのです。議員たちは、100％とそれほど違わない最大93％の税率を受け入れました。

ほとんど没収政策とも言えるこの政策は、「極端に高い所得が存在することは阻止すべきだ」とする考えに基づいており、１９６０年代まで続きました。富の極端な集中は、社会にとって望ましくないと考えられたのです。

なぜならそれは、権力の極端な集中を意味し、それは民主主義にとって危険なことだからです。これは米国では古くからある考え方で、建国の父の一人で保守派の英雄、ジェームズ・マディソンにも見られる考えでした。

——「税金は米国的ではない」とする考えは、一種の集団的な記憶喪失の産物なのでしょうか。

ズックマン　多くの人はレーガン政権以前のことを忘れています。それまでの税制は長年にわたって、歳入を得るためだけでなく、格差是正のためにも使われていたのです。私たちは、米国人に自分たちの歴史を思い出してほしいと願っています。

バイデンは税制改革に乗り出すか

——低所得者ほど実質負担が重い逆進的な税制への移行は、国民が充分な情報を得たうえで民主的に選択したことではなく、受動的に受け入れたことだと指摘されていますね。

ズックマン　有権者の意向を反映したものではありません。そのことは世論調査にはっきり表れています。

民主党の予備選でバーニー・サンダースは資産3200万ドル（約35億円）超の人に課税を提案し、エリザベス・ウォーレンは資産5000万ドル（約55億円）超の人に課税を提案しました。

こうした富裕層に対する課税を人びとがどう思っているかを調べる世論調査がいくつも実施されましたが、その結果、「賛成」のほうが圧倒的に多いことがわかりました。

全体の約70％、しかも共和党派の50％も賛成でした。国民の意向と1980年代以降採用されている税政策の乖離《かいり》には目を見張るものがあります。

――けれども予備選で勝利したのは、より慎重な税政策を提案したバイデンでした。

ズックマン　民主党は支持者に寄り添う方向に動き、より進歩的な税制案を選びました。1980年代以前のものほど野心的ではありませんが。でもバイデンは、10年前のオバマや1990年代のクリントンよりずっと進歩的な政策を実行しています。

――バイデンは大統領に就任後の数週間で、大統領令によってトランプの遺産の多くを一掃しました。ところがトランプの肝いりの政策であったと思われる、富裕層や企業への大幅な減税には言及していないことに違和感を覚えませんか。

ズックマン　税制改革をするには、議会が法律を可決しなければならず、大統領令では実行できませんからね。でも税制改革のための法律はそのうちできるでしょう。

――パンデミックによる危機は、より公平な税制を提案する機会だと捉えられるでしょうか。

ズックマン　この危機はただ単に悪いものだと思います。歴史や政策を変えるには、危機があるだけでは不充分です。

歴史を変えるのは、考え抜かれたアイデアと、それを活かせる特定の状況の組み合わせです。危機だけでは充分ではありません。状況を変えるうえでより重要なのは、知的作業と政治であり、希望を持てる理由はある、と私は思っています。

ショシャナ・ズボフ
私たちの生活を採掘する
「監視資本主義」

私たちの私生活が「天然資源」

Photo: Till Rimmele / Getty Images

Shoshana Zuboff : «Larry Page, cofondateur de Google, a découvert rien de moins que le capitalisme de surveillance» Le Monde 2020/11/26, Text by Marc-Olivier Bherer

「「フェイスブックの個人情報保護の対策は『広報戦略』に過ぎません」ハーバード大名誉教授が斬る」COURRIER JAPON 21/1/11

Shoshana Zuboff　ハーバード・ビジネススクール名誉教授。シカゴ大学にて心理学の学位を、ハーバード大学にて社会心理学の博士号を取得。1981年よりハーバード・ビジネススクールに参画、テニュア（終身在職権）を取得した。著書に『In the Age of the Smart Machine: The Future of Work and Power』（未邦訳）など。2019年に刊行された『監視資本主義』（東洋経済新報社）は、人間の私生活こそが、手つかずの天然資源であり、市場で売られる対象になったとし、新しい資本主義のかたちとして、「監視資本主義」という言葉を生み出し、各紙誌でその年のベストブックに選出された。

「ラリー・ペイジが気づいたのは、人間の経験が、次の〝手つかずの森林資源〟だということでした」

仏「ル・モンド」紙のインタビューで、ハーバード・ビジネススクール名誉教授のショシャナ・ズボフはこう語った。『監視資本主義』の著者としても知られるズボフ教授は、IT企業たちが今回のパンデミックを〝絶好の機会〟と捉えていると話す。

それでも、今の私たちの生活はこうした企業のサービスに救われている部分もあるのではないのだろうか？

どんなものでも〝商品〟になりうる社会

――ズボフさんは「監視資本主義」という言葉を使っていますが、この監視資本主義なるものは、いつどのようにして現れたものなのですか。

ズボフ　資本主義の進化は、市場とは無縁だったものを市場に取り込むことで進んでいきます。どんなものも、市場に取り込まれると、商品になって売買できるようになるのです。

19世紀、資本主義が関心を向けたのは自然でした。歴史家・経済学者のカール・ポランニー（１８８６～１９６４）が名著『大転換』（東洋経済新報社）でその過程を見事に描いています。19世紀は「自然」「労働」「貨幣」といった、本来は商品でなかったものが、ポランニーの言う「擬制商品」となって売買されるようになった時代でした。市場に「森林」が取り込まれると、それは即座に商品として擬されます。

森林は森林でなくなり、「天然資源の貯蔵庫」になり、川は「エネルギー源」、空き地は「開発の現場」となるといった具合です。

さて、ここでデジタル化の大転換が進む21世紀初頭に目を向けましょう。シリコンバレーではスタートアップ（革新的な事業に取り組む、創設間もない企業）の数が増え、それぞれの会社が独自のサービスを提供し、投資家の関心を惹きつけていました。

ところがITバブルが弾けることになり、2001~02年の株価大暴落があったのです。なぜこの大暴落が起きたのか。理由は単純です。ちゃんとした収益を出す方法を、どの会社も探り当てられていなかったのです。

それで何を商品やサービスに変えればいいのか、ということが問われるようになりました。この問いに対し、最初に突破口を開いたのがグーグルであり、それを見てIT業界のほかの会社も後追いをしていきました。

——具体的に言うとグーグルは何をしたのですか。

ズボフ グーグルの検索エンジンがローンチ（開始）したのは1990年代末だったので、そのサーバーには、インターネット利用者の検索履歴やオンライン上の行動データがすでに大量に保存されていました。ただ、その大量のデータは放置されたままだったんです。

グーグルが困難に直面するなか、共同創業者のラリー・ペイジとセルゲイ・ブリンは、広告をビジネスモデルの中心に据える決定を下しました。そのとき、この二人が、自分たちが持つデータの山を新しい目で見て、そこに大きな可能性があると気づいたのです。なぜなら、このデータの山には、インターネットのユーザーの行動を知る手がかりがあり、ユーザーの行動の予測もできたからです。

ラリー・ペイジがこのビジネスモデルについて初めて明かしたのは2001年のことでした。グーグルの事業分野を問われたとき、「個人情報」と答えたのです。

ペイジはそう言った後、近い将来、スマート機器やセンサー、カメラによって膨大な量の個人情報が集まるようになると指摘しました。

「あなたがこれまでに聞いたこと、見たこと、感じたことのすべてを調べられるようになります。あなたの生活をまるごと調べられるようになるのです」

当時のグーグルには、そんなことをする技術はありませんでしたが、そのような全体のビジョンはすでにこの頃からあったのです。つまり、ラリー・ペイジが監視資本主義を発明したといって過言ではないのです。

「私たちの生活」は採掘され、売られている

――「監視資本主義」とは具体的にはどういうものなのですか。

ズボフ　ラリー・ペイジが気づいたのは、人間の経験が、次の〝手つかずの森林資源〟だということでした。これからの時代は、私たちの私生活が「天然資源」であり、それを行動学的なデータとして市場で売れると見ぬいたのです。

個人のデータや行動がオンライン上で一部始終、追跡されることになったのは、これが理由です。ＩＴ業界の会社はどこもかしこも、グーグルのこのモデルを真似しました。とくに熱心だったのがフェイスブックのような企業です。

どのアプリも、インターネットにつながった新車のインパネといったインターフェースさえも、すべてが、言うなれば「工場の生産ライン」です。グーグルが作り上げた21世紀型の工場には、19世紀の工場のような巨大な煙突はありません。21世紀の工場では、ＡＩ（人工知能）を使って、人間の行動の予測というプロダクトを生産し、広告主に売っているのです。

――知らないうちに私たちは商品になっていたというわけですね。

ズボフ　私たちが知らないうちに、私たちに関するデータが集められ、私たちの行動が予測されています。人がどんな行動をしているのかを追跡する仕組みは、それとはすぐに気づかないように隠されています。言ってみれば、私たちの経験を狙って採掘作業が進められているんです。

一つ注意しておきたいのは、私たちの行動に関するこうした予測が、私たちに向けて作られているわけではないことです。こうした予測は、新しく誕生した市場で企業に向けて売られています。小麦や豚肉の先物取引の市場があるように、人間の先物取引の市場があるわけです。
言うなれば、ビジネス界の〝聖杯〟が見つかったようなものです。人びとの行動が予測できるようになったので、お金を払ってその予測を手に入れれば、有利なポジションに立って儲けることができるのです。オンラインの広告主向けのこの新しい市場が、グーグルの収入の88%、フェイスブックの収入の88%を占めています。

プロダクトの品質には責任を持たなければならない

――新型コロナウイルス感染症のパンデミックや、それにともなうロックダウンの生活で、いままでよりもウェブに頼ることになった人は多かったと思います。このようなウェブのツールがあってよかったと喜ぶべきではないのでしょうか。

ズボフ　新しいテクノロジーに対する強い反発は2016年から始まっていて、そのなかで新型コロナの席巻がありました。2016年は、虚偽の情報がSNSで拡散され、EU離脱の是非を問う英国の国民投票や米国の大統領選を混乱させた年でした。

2018年にケンブリッジ・アナリティカ社のスキャンダルが発覚し、この会社が数百万人分のフェイスブックのユーザーのデータを使って、EU離脱やトランプへの投票を呼びかけるメッセージを送っていたことがわかりました。世論がこの事件に反応し、巨大I

T企業に対し不信と怒りの念を抱いたのは当然のことでした。

そんな状況だったからこそ、巨大IT企業の経営者は、今年（2020年）の春に導入されたソーシャル・ディスタンスの措置を絶好のチャンスと見ました。全員が同じようなことを言い出しました。

「私たちはみなさんの味方であり、みなさんを救うことができます。みなさんが必要とするものは何でもアマゾンが送り届けます。グーグルがオンラインで学校を再現します。ズームなら、同僚と会議を開けます。フェイスブックで家族や友人とコンタクトをとりましょう」

しかし、こうした発言に説得力があったとはいえません。EUは、いまもIT業界に規制を加えたほうがいいという信念を深く持ったままです。米国の連邦議会でも、この1年だけで、オンライン上のプライバシーの保護やマイクロターゲティング広告（個人の情報を収集して効果的に行う広告）に関する法案が26案も出されました。チューブから出した歯磨き粉と同じで、こうした動きを元に戻すことはもはやできません。

——フェイスブックは最近、自分たちの事業の点検をしています。フェイスブック監督委員会も設立され、不適切なコンテンツの監視に関する判断を担うことになっています。このような動きは、どうとらえていますか。

ズボフ　フェイスブックはいろいろしていますが、どれも単なる広報戦略に過ぎません。

たとえば２０１８年には、外部の専門家に依頼して公民権に関する監査を実施しました。監査を主導したのは高名な弁護士のローラ・マーフィーで、公民権問題の専門家です。その最終報告書が２０２０年７月に公表されたのですが、フェイスブックの問題点がすべて見事に検討されている報告書でした。

ところが、この報告書は何の効力も持たなかったのです。フェイスブックのナンバーツーのシェリル・サンドバーグが「学ぶべきことがいっぱいです」と言って終わりにしてしまいましたからね。

監督委員会も、設立案が最初に出たのが２０１９年１月なのです。それでようやく最近になって設立されました。

「ガンガン動いてドンドン壊せ」をモットーにする会社としては、ずいぶん悠長ではないでしょうか。近年の米国史では最も重要な大統領選を迎えようとしている時期の動きとしては、あまりにものんびりとしていました。

巨大ＩＴ企業が作っているのはドーナツの類ではないのです。社会の方向を決めるものを作っているのですから、プロダクトの品質には責任を持たなければなりません。

マリアナ・マッツカート
イノベーションを生む「アントレプレナー国家」

「今日の資本主義はフェミニズムとは相容れない」

Photo: Karol Serewis / Gallo Images Poland / Getty Images

Mariana Mazzucato «An 'Electrifying' Economist's Guide to the Recovery» The New York Times 20/11/19, Text by Alisha Haridasani Gupta
「経済学者マリアナ・マッツカート『今日の資本主義はフェミニズムとは相容れないものです』」COURRIER JAPON 21/1/24

Mariana Mazzucato　ユニバーシティ・カレッジ・ロンドン教授。2014年、英国「ニュー・ステーツマン」誌の政治経済学部門でシェフィールド大学政治経済研究所（SPERI）賞を受賞、2013年「ニューリパブリック」誌より「イノベーションにおける最も重要な3人の思想家」のうちの一人と称される。著書に、長期にわたるイノベーション主導の経済成長において国が果たすべき役割を示した『企業家としての国家――イノベーション力で官は民に劣るという神話』（薬事日報社）など。2020年2月の「GQ」誌では、「英国で最も影響力のある50人」の一人に選ばれた。

立場を問わず、世界中の政治家や実業家がその主張に耳を傾ける、経済学者のマリアナ・マッツカート。パンデミック後の経済において、政府や社会は何に価値をおいて成長をめざすべきなのか、米紙「ニューヨーク・タイムズ」がインタビューした。

経済学者でユニバーシティ・カレッジ・ロンドンの教授のマリアナ・マッツカートは、ここ数年で、学者としては珍しい、セレブ的な地位を得ている。

2020年2月には英「GQ」誌が、デビッド・ベッカムやフィービー・ウォーラー＝ブリッジと並んで彼女を「英国で最も影響力のある50人」の一人に選んだ。また英紙「フィナンシャル・タイムズ」は、彼女によるパネルディスカッションの一つを「衝撃的」と評した。

マッツカートの発する言葉には、アメリカのアレクサンドリア・オカシオ＝コルテス下院議員や南アフリカのラマポーザ大統領、マイクロソフト創業者のビル・ゲイツやローマ教皇に至るまで、世界中の政治家やCEOが耳を傾けている。また彼らは、こぞって彼女に助言を求め、その仕事にアイデアを求めている。

マッツカートの使命は一見したところ、資本主義の再考と、国が後押しする公共部門の強化だ。にもかかわらず、彼女の主張は、左派の知識人だけでなく、通常であれば、ほんの少しでも社会主義的な匂いがすれば警戒する財政保守派や自由市場主義者の共感も得ている。

たとえば、断固たる自由市場推進派の「フィナンシャル・タイムズ」紙は、マッツカートの著書『企業家としての国家』の主張は「基本的に正しい」と認めている。

「未来のアップルの誕生を阻むもの」

マッツカートのライフワークの中核をなす主張は次の2点だ。

1.「経済成長」の現在の定義はあまりにも偏狭である。

2.月面着陸やインターネットの発明など、世界の偉大な成果の多くは、一般的に思われているように民間部門ではなく、「政府の投資」から生まれた。

以上は、マッツカートの複数の著書にも反映されている。

「iPhoneをバカではなく『スマート』にしているあらゆるテクノロジーはまさに、国家が投資した基礎研究や応用研究に支えられている」と彼女は『企業家としての国家』に書いている。

彼女は、アップルが成功するうえでスティーブ・ジョブズは重要でなかった、と言っているわけではない。だが「アップルの成功物語における公共部門の存在を無視することは、未来のアップルの誕生を阻むものである」と言っているのだ。

グローバル経済の弱点の多くをあぶり出した今回のパンデミック。そのはじまりから1年近くが経過した2020年11月、マッツカートは、世界保健機関（WHO）の新たな会議体の議長に指名された。この会議体がめざすのは「人びとの健康」を中心に置いた価値創造と経済成長を考えることだ。
本紙「ニューヨーク・タイムズ」は、マッツカートへのメールによる取材を通して、世界のリーダーたちが価値をどのように再定義できるかや、世界の偉大なイノベーションを裏で支えた忘れられた女性たちに関する話を聞いた。

GDPではカウントできない労働力をどう考えるか

――今回のパンデミックは、女性がその多くを担う無休労働や、女性が主な働き手の産業の過小評価された仕事に、経済がいかに大きく依存しているかを明らかにしました。こうした仕事の地位を向上させ、それをより広範な経済成長政策に取り込むために、政府は何ができますか。

マッツカート　コロナによって私たちは、経済において何が「価値のあるものか」ということをより深く考えるようになりました。「価値のあるもの」とは、値段がつけられるもの、交換できるもの、とされます。ところが、これまで「高い価値がある」とされてきた分野――たとえば、金融業や不動産業などの分野は、社会の基盤を支えるものではなかったことが明らかになりました。
コロナの感染拡大を受けて、行政は「エッセンシャル・ワーク」とは何かを定義づけ、こう言われるようになりました――最も価値のある、かけがえのない市民とは、医療、公的介護、教育、公共交通、スーパー、配送サービスの現場で働く人たちだ、と。

こうした仕事はヨーロッパ、イギリス、アメリカでは、女性や有色人種が多く担っています。こうした人びとが他の人びとよりつらい思いをするのは「仕方がないこと」ではありません。何事もそうであるように、政策次第なのです。

――家庭内の無給労働を国内総生産（GDP）にカウントできると考えるのは野心的な試みでしょうか。どうすれば実現しますか。

マッツカート　まず、何でもかんでもGDPに含めるために適応させたり調整したりすべきではありません。

一つの指標として、GDPには本質的な欠陥があります。というのもGDPにおける経済的な価値は、市場取引にのみ基づいて決定されるからです。つまり、市場で売られる商品やサービスだけがカウントされます。GDPは、「価値の抽出」を「価値の創造」に変えようとすると同時に、収入や富の極端な格差を正当化するために使われます。

GDPよりはるかにダイナミックな評価要素や指標があります。たとえばウェールズでは、公共部門のプロジェクトは、まだ生まれていない世代への影響を考慮して助言をおこなう「未来世代コミッショナー」によって審査され、評価されます。

ニュージーランド政府は２０１９年、世界初の「幸福予算」を国家予算に組み込みました。

また「真の進歩指標（ＧＰＩ）」は、環境・社会的コストと利益を分け、家事やボランティアの価値を認め、格差是正をめざすものです。

こうした評価アプローチがより活用され、受け入れられるようになれば、家事のような労働が社会に与える直接的、間接的な影響をより正確に示すことができるようになるでしょう。

コロナの感染拡大によって社会は、保育園などの施設や子どもを預かる親類や知人など、育児に携わる存在の重要性をより強く意識するようになりました。

家事の主な担い手とされる女性は、コロナによって男性よりはるかに高い割合で労働市場からの脱落を余儀なくされています。家事、掃除、家族のケア、子どもの世話をすることは、社会に大きな波及効果をもたらします。けれども、それをきちんと把握して、こうした活動を明確に示し、評価する努力はまだ充分になされていません。

「企業は有言実行を果たすべき時にある」

――世界で経済格差が拡大していることを考えると、資本主義は基本的にフェミニズムとは相容れないと考えるのは妥当ですか。

マッツカート　今日の資本主義はフェミニズムとは相容れないものです。民間企業は、フェミニズムや多様性の重視とは本質的に一致しない株主の指示に従います。そして、こうした企業こそが革新的で最も価値があるとされています。

けれどもイノベーションとは、巨大な集団の努力によって生み出されるものであることを歴史は教えています。カリフォルニアに住む、若い白人男性の小さな集団だけが生み出すものではありません。もし世界の大きな問題を解決したければ、私たちはこのことを理解して、現状に抵抗すべきです。

イノベーションに携わる女性の地位を見直し、その存在を再認識する動きが高まっています。こうした動きは宇宙開発競争の中心にいたアフリカ系女性科学者たちの存在を再認識させた映画『ドリーム』（２０１６年）や物理学者のジェシカ・ウェイドが展開する、ウィキペディアに女性科学者の項目を増やすプロジェクトなどに見られます。

またグローバル・サウス（南の途上国）発のイノベーションの影響を理解し、認識するうえでもまだ多くのことができます。コロナ危機のなか、インド南部ケララ州のような地域が成し遂げたことに私は惹きつけられました。

ケララ州の長きにわたる医療への投資は、迅速なロックダウン、徹底した濃厚接触者の追跡、そしてこれまで約1150万人が受けた広範なメンタルヘルス・サービスに支えられました。このすべては、素晴らしい女性のリーダー、K・K・シャイラジャ保健相の指揮のもと実現しました。

――世界の大手企業のCEO約200人からなるあるグループが昨年（2019年）、株主だけでなく従業員や顧客にも焦点を当てた投資をおこなうとする声明を出しました。これは充分に大胆なものと言えるでしょうか。

マッツカート　「企業は有言実行を果たすべき時にある」と私はよく言っています。昨年（2019年）のダボス会議では、「シェアホルダー（株主）資本主義」ではなく「ステークホルダー（利害関係者）資本主義」という言葉がよく聞かれました。けれどもこの言葉に含まれる連帯感は、コロナ危機でどうなったでしょうか。

世界の大企業はさらに大きく成長しました。とりわけテック業界は、自らをイノベーションの象徴とみなしていますが、たとえば公正な賃金の支払いや、労働者への公平な処遇、税の申告など、自らが属する社会との「社会契約」を守っていません。

もちろん企業はもっと多くのことをしている可能性もあります。けれども市場がおのずと企業にそうさせることは稀です。

――最近の「タイム」誌のインタビューで、2023年の世界を想像されていましたね。

もう少し詳しく聞かせてください。

マッツカート　２０２３年には、私たちはコロナに打ち勝っただけでなく、スマートイノベーション主導の経済成長に支えられて、回復のプロセスを、より環境に優しく、包括的で、持続的な世界への転換点として利用しているでしょう。

これは政府の救済に、給与の維持、最低賃金の確保、自社株買いの停止、取締役会への労働者代表の出席を条件づけさせる国民による運動からはじまります。こうすることで企業の目的と労働者の目的を合致させるのです。

この夢は、不公平なことで悪名高い医療にも及びます。治療薬とワクチンの知的財産のガバナンス、価格設定、製造に大胆な条件をつけることで、コロナ治療が手頃で万人に届くものにする、それが私の描くビジョンです。

ロバート・シラー
市場を動かす「物語」の経済学

「経済の基礎的条件より、物語のほうが株価の変動を生む」

Photo: Taylor Hill / Getty Images

Robert Shiller: «Tenemos tres burbujas simultáneas, y eso me preocupa» La Vanguardia 21/2/2, Text by Andy Robinson
「経済学者ロバート・シラー『3つのバブルが同時発生していることが心配です』」COURRIER JAPON 21/4/5

Robert Shiller　１９４６年生まれ。イェール大学教授。「資産価格の実証分析」を評価され、２０１３年にノーベル経済学賞を受賞。２０００年に刊行された『投機バブル　根拠なき熱狂――アメリカ株式市場、暴落の必然』（ダイヤモンド社）は、アメリカのＩＴバブル崩壊を予言した書としてベストセラーとなった。同じくノーベル経済学賞を受賞（２００１年）したジョージ・Ａ・アカロフとの共著『アニマルスピリット』（東洋経済新報社）も、サブプライムローンに端を発する金融危機を理解する書物として広く読まれた。新刊に『ナラティブ経済学』（東洋経済新報社）。ほかに、『それでも金融はすばらしい』（東洋経済新報社）『不道徳な見えざる手』（アカロフとの共著、東洋経済新報社）など。

２０１３年にノーベル経済学賞を受賞したイェール大学のロバート・シラー教授はこう述べる。

「物語が世界を方向づけるのであって、その逆ではない。そして物語は〝感染〟しやすい」

そんなシラーの新著『ナラティブ経済学』は、経済学を文芸評論や疫学に近づけて論じている。なぜ、事実無根の物語が伝染病のように広まり、「バブル」となるのか――スペイン紙がインタビューをおこなった。

新聞が生み出した「チューリップ・バブル」

——現在もっとも力を持っている物語はこのうえなく常軌を逸しているように思えます。米国の大統領選で不正があったとする説や、新型コロナウイルスをめぐる陰謀論などです。こうした物語は経済を不安定にするでしょうか。

シラー　いつの時代にも常軌を逸した考えを持つ人はいました。けれども現代ではそういう人がホワイトハウスにまで来てしまいました。トランプは賢《さか》しい人で、どんな物語がいちばん伝染しやすいかを知っていました。

コミュニケーション・ネットワークのあり方が昔といまでは違います。以前は、家庭内で何かおかしなことを言えば、祖父や叔母に「バカなこと言うんじゃない」とたしなめられたものです。ところがいまは、自分と同じ物語を信じる人がネット上に何百万人もいることがわかります。

——ソーシャルネットワーク上のエコーチェンバー現象（註：閉鎖的な空間でくりかえされるコミュニケーションによって、特定の信念が増幅・強化されてしまうことの例え）は政治を変えました。同じことが市場でも起きると思われますか。

世界最大の投資資金は投稿サイト「レディット」の株取引コミュニティー「ウォール・ストリート・ベッツ（WallStreetBets）」にあると言われています。

シラー　そうですね。けれどもインターネットはすでにあるものを強調しているにすぎません。すべては400年前の「新聞の発明」とともにはじまりました。このときを境に、かなり常軌を逸した考えが広まるようになりました。

史上初の投機バブルは1630年代のチューリップ・バブルです。これは新聞ができた時期とほぼ重なります。もちろん、それ以前も投機はおこなわれていましたが、まだ新聞はなく、〝感染〟の可能性はありませんでした。

アメリカで進行している3つのバブル

――現在、バブルは発生していますか。

シラー　少なくとも米国では、長期債券、株式、住宅の3分野でバブルが発生していると思います。しかも3つ同時に発生しています。だから心配なのです。どうすればいいのかは簡単にはわかりません。

株式をやめて債券に投資するのも意味はありません。いずれの市場も過大評価されているからです。もしかしたら、パンデミック後も価格を維持できそうな個別銘柄を選ぶべきときなのかもしれません。でもほんとうを言うと、私自身、そうはしていません。

——驚きなのは、国債利回りがスペインなどでもマイナスを付けていることです。

シラー　そうですね。過去にないことが起きています。このため、これまでのパターンが壊されるギリギリのところに近づいているのかもしれません。

過去40年間、低金利が続いてきましたが、それがいまではゼロやマイナスを付けています。これ以上下がってはいけません。もしかしたら今後、私たちの未来の見方を変える新たな物語が出てくるかもしれません。

——「インフレは大きな脅威である」というのは私たちの世代では定説でした。けれども現在、インフレは存在しません。安心するのは間違っているでしょうか。

シラー　人びとは、「インフレは完全になくなった」と考えていますが、この認識は間違いだと思います。すでに通貨供給量の急速な拡大が見られますが、不思議なものです。というのも住宅価格のこととなると、それは高騰しつづけると人びとは信じているからです。

——一つ前向きな材料があります。いまのような低金利は、国債を発行して公共投資をおこなう絶好のチャンスだということです。

シラー　まさにその通りです。気候変動は深刻な問題です。大企業に投資するより、エネルギーの転換にもっと投資すべきです。このような公共投資以上に重要な企業投資はありません。

「物語」のほうが株価変動をもたらす

――あなたの著書によると、経済を左右するのはもはや「価格」ではなく、感染力のある「物語」であり、ここでいう「感染力」とは疫学上の意味と同じだとのことですが。

シラー そうです。投資家は、投資している企業の名前や沿革は知っていても、一株当たりの価格や利益は知らないこともあります。物語が現実を作るのであって、その逆ではありません。

株式市場を見てください。私は40年以上前から株式市場について書いていますが、営業利益より株価のほうが変動しやすいのは明らかです。いったい、どういうことかというと、たとえば1929年のウォール街大暴落をめぐる伝説のような物語と関係しています。経済の基礎的条件より、こうした物語のほうが株価の変動を生むのです。

――経済学者の多くがまだ市場の合理性や効率性を主張し、市場の過大評価を否定していたときに、あなたの著書『投機バブル　根拠なき熱狂』は、バブルに警鐘を鳴らしていました。

2008年のバブル崩壊前には「グレートモデレーション（大いなる安定）」が話題になっていました。でもいまは、あなたの考えが認められています。ナラティブ（物語）分析を用いることで、経済学者はより正確に予測できるようになると思いますか。

シラー　経済学は、景気後退やバブルを予測するより、多大な悪影響をもたらす株価の乱高下を抑制する方法を見つけ出すべきでしょう。経済を正確に予測するのは不可能です。

なぜなら経済システムは予測に反応するからです。天気予報とは異なります。天気は、予報に反応して変わったりしませんからね。

――天気は物語に左右されないが、経済はそうではない、ということですね。

シラー　はい。皮肉なのは19世紀末、「経済予測」の最初のモデルは「天気予報」だったことです。クリミア戦争（1853～1856）の頃に電信が発明されると、さまざまな地域の気象に関する情報をリアルタイムで入手できるようになり、天気予報が可能になりました。

そしてこれが新聞に載るようになると、経済学者たちはそれと同じことをマクロ経済予測モデルを用いてやろうとしました。けれども上手くいきませんでした。

――市場経済のメカニズムを左右するのは、大学で教えるように「価格」ではなく、ウイルスのように感染しやすい「物語」なのでしょうか。

シラー　その通りです。19世紀から20世紀初頭にかけて、一定の周期を持つとされる「景気循環」についてよく議論されました。けれども問題は、各周期の帯域幅が一定していないことです。疫学モデルも同様です。

はじめは一つの周期に見える疫病の波。でもやがてそうではないとわかります。多くの経済学者がそのことに気づいていません。けれどもリチャード・ドーキンスは、1976年の著書『利己的な遺伝子』（紀伊國屋書店）でこのことに触れています。

疫病のように変異・伝搬する「物語」だが

――経済を説明するうえで疫学を引き合いに出すことは今後より一般的になると思いますか。

シラー　『利己的な遺伝子』がもっと大きなインスピレーションの源になればよかったのですが。でもシェイクスピアもこう記しています――「人生とは、愚か者が語る物語。騒音や怒りに満ちているが、そこに意味はない」。

物語が経済を動かすという説が経済学者たちに受け入れられなかったのは、以前はデータがなかったからだと思います。けれどもいまは、検索を通してテキストを分析することができます。新聞、雑誌、法的文書、企業報告書など、どんな文書も、検索することでそこにある物語を見つけることができます。
物語は疫病より変異しやすいものです。物語は語られるごとに変異します。でも民間伝承の専門家に聞けばわかる通り、物語のなかには数千年生き延びるものもあります。同じ物語が何千年も語り継がれるのです。

――金本位制やビットコイン（仮想通貨の一つ）をめぐる物語にも言及されていますね。インフレが懸念されるようになった場合、この2つは重要になりますか。

シラー　金本位制をめぐる物語はずっと前からあるもので、トランプはそれを政治的な目的のために利用しました。でもその後、彼はその物語の感染力がそれほど強くないことに気づいたようです。
ビットコインをめぐる物語はそれよりは感染力があります。政府が管理しない通貨というものに一部のリバタリアン（自由至上主義者）たちは惹かれました。ビットコインは、その開発者サトシ・ナカモトへの信頼だけに支えられています。けれどもこの人物は実際に存在すらしません。

――著書のなかで「フェイクニュースは、真実を伝えるニュースより6倍感染しやすい」と書かれています。どういうことでしょうか。

シラー　まず新聞というものがあります。普通は、真実に忠実であれば、大半の人を納得させることができるものです。

けれどもたとえば、1898年の米西戦争のような出来事もありました。これはイエロー・ジャーナリズム（興味本位で衝撃的な報道）にあおられてはじまった戦争でした。「ニューヨーク・ジャーナル」紙がスペインによる挑発行為をでっち上げたのです。そうすることで「ニューヨーク・ジャーナル」は販売部数を伸ばしました。けれども結局、この新聞が生き延びることはありませんでした。

一方、「ニューヨーク・タイムズ」紙のような一流紙は、フェイクニュースに頼ることなく、いまも第一線にいます。つまり、人びとはフェイクニュースに完全にだまされるわけではないことを示しています。エイブラハム・リンカーンの名言に次のようなものがあります。

「すべての人を常にだますことはできない」

第４章　コロナ禍の中で働くということ

リンダ・グラットン
パンデミック後も残る４つの仕事の習慣

「長時間労働は当たり前というのは過去になった」

Photo: Masataka Namazu / COURRIER Japon

«How to Help Employees Work From Home With Kids» MIT Sloan Management Review 20/4/27, Text by Lynda Gratton
「リンダ・グラットンの勧める在宅勤務と家庭とのバランスの取り方」COURRIER JAPON 21/3/28

Lynda Gratton　『ワーク・シフト』（プレジデント社）などの著書で有名なロンドン・ビジネススクール教授。人材論、経営組織論の世界的権威で、英「タイムズ」紙の選ぶ「世界のトップビジネス思想家15人」の一人。「フィナンシャル・タイムズ」では「今後10年で未来に最もインパクトを与えるビジネス理論家」と賞され、英「エコノミスト」誌の「仕事の未来を予測する識者トップ２００人」に名を連ねる。組織におけるイノベーションを促進する「Hot Spots Movement」の創始者。主な著書に、孤独にさいなまれる人生か、自由で創造的な人生か、これからの働き方によって変わることを論じた『ワーク・シフト』、１００年時代の人生戦略を論じた『LIFE SHIFT』（東洋経済新報社）などがある。

コロナ禍によって世界中で在宅勤務が広がり、家庭とのバランスが取りにくくなった人もいるだろう。『ワーク・シフト』などの著書で有名なロンドン・ビジネススクール教授のリンダ・グラットンは、仕事と家庭の境界をできるだけ保つことが重要で、経営者は各従業員のニーズを理解し、対応していくべきだと述べる。

現在も多くの人びとは在宅勤務をしている。働く親にとって、テレワークには悩みがつきものだ。外出自粛状態が長く続くと、家庭内の混乱はさらに顕著になる。これは子どもだけでなく、高齢者、障害者など、さまざまな人のケアをする人にも当てはまることである。

在宅勤務によって家庭が混乱し、生産性や創造性が低下しうるというのは、コロナ禍における重要な経営課題の一つであった。リーダーや企業は、社員を支援して仕事を管理できる体制を迅速に整え、長期的な変化に備えて基盤を整える必要がある。

在宅勤務の課題は、仕事と家庭の境界が薄らぐこと

2020年4月、私は仕事と家庭を両立させるための課題と機会に特化したウェビナー（オンラインでおこなうセミナー）を開催し、ヨーロッパ、アメリカ、日本、オーストラリア、ニュージーランドから30社以上の企業の幹部たちの参加を得た。当時彼らの60％以上が家庭での責任を果たしながら在宅勤務をしていたが、その状況をより深く理解するため、その後7日間にわたるハッカソン（自由参加型の意見交換会）を開催した。経営幹部たちは自分たちの経験について語り、解決策について自由にアイデアを出しあった。

仕事をするには境界が重要だ。心理学者は以前からそう主張していたが、在宅勤務中心の働き方がなされるようになって、それが非常に明確になった。企業幹部たちも日々の仕事と家庭を両立させるため、たとえばバリバリの営業マンと面倒見の良い父親という二つの側面の間に明確な境界を設ける。

その間の移行には、明確な変化や「通過儀礼」をおこなうなどして、精神的な壁を設ける。たとえばスーツを着る、通勤電車に乗る、会議前にコーヒーを飲む、新聞を読むなどの行動だ。同様に、長年自宅で仕事をしている人も仕事部屋に移動する、仕事と家庭生活のスケジュールを分けるなどの境界を設けている。

こうした変化をつけることで、自分が持つ別の側面を明確に分けて維持することができ、家庭と仕事の間の時間や認知、関係を変えられるのだ。境界を維持できれば、ある役割のオンとオフを明確にし、注意散漫になるのを最小限に抑えて能力を発揮できる。

一方、家族全員が家庭に留められると、働く人は仕事と家庭の境界を保つのが難しくなる。通勤していれば、家庭から職場、職場から家庭の間の2回の移動で済んだが、子どものいる家庭で仕事をするとなると、仕事、子どもの世話、仕事、昼食の準備、仕事、乳児と遊ぶなど、何度も仕事と家庭の間の行き来が求められ、集中力や生産性、創造性も低下する。

在宅勤務を効率的にするために今すぐできる3つのこと

ビジネスリーダーたちは、家で働く従業員が通常通りに境界を保てないことを認識しており、在宅勤務による課題にも高い関心を寄せている。ハッカソンでは、障壁やコストが少なく、すぐに導入できる、優れた3つの改善策が挙がった。

1．従業員一人ひとりの状況を理解し、それにあった対応をする

一部の企業では、在宅勤務者にアンケートを実施し、従業員がどのような状況に置かれているかをより詳細に把握した。そうすることで、従業員の多様な状況やストレスを理解できる。隔離された環境で働く独身者のそれは、幼い子どものいる家族を持つ人のものとはまったく異なる。

たとえば、あるグローバル企業は、社員の60％以上が一人暮らしか親やパートナーと同居する独身者で、社会的孤立の痛みを感じていた。そのため、すぐに導入したのは、毎日11時半にオンラインで共通のコーヒーブレイクの時間を設けることだった。別の企業では、60％以上の社員が育児をしており、彼らの問題は疲労と通常勤務時間帯に仕事に集中するのが難しいことだった。その場合、通常とは異なる時間帯に働いてもよいことにすれば、社員のストレスは減るだろう。

2. 一緒に働く時間を作り、スケジュールを共有する

企業によっては、社員と一緒に新しいスケジュールを積極的に作っているところもある。たとえば、あるグローバルなテクノロジー企業の幹部は、社員とともに「オン」の時間帯と「オフ」の時間帯を決めている。そして、このスケジュールをチームメンバーと共有し、いつならタイムリーな対応ができるのかを明示した。

そうして新しい仕事のやり方を提供し、時間割を設置したことで各人の仕事と家庭の切り替え回数が制限された。この2つの効果により、社員の不安が軽減されたと経営陣は語る。

3. 同じような状況にある人びとのコミュニティーを作り、助け合えるようにする

家庭生活にはさまざまな形態があり、ニーズや必要なサポートも人によって違う。画一的な対応ではうまくいかない。そのため、同じような状況にある社員同士が出会えるプラットフォームを作る企業もある。そこでは社員が互いに相談に乗ってアドバイスしあい、アイデアやおもしろい試みを共有できる。同様に重要なのは、こういう場があると、コミュニティーの持つ特定のニーズやアイデアを経営陣に伝えやすくなるのだ。その結果、非

常にクリエイティブなものが生まれることがある。

たとえば、あるグローバルな保険会社の役員は、幼い子どもを持つ親たちのコミュニティーの発案によって、子どもたちの自宅学習をサポートするための教材を、会社のイントラネット上で提供するようになったと語った。


パンデミック後も続く、働き方の4つの変化と求められる対応

ハッカソンでのもう一つの重要な話題は、コロナ禍で変わった働き方が、将来的にどう変化していくかということだった。長く在宅勤務をすることで人びとは必然的に新しい習慣を身につけ、さまざまな期待を抱くようになる。パンデミックが収まって人と距離を取る必要がなくなったら、すぐになくなる習慣もあるが、明らかなメリットがあって継続的に仕事に取り入れられていくものもあるだろう。

この機会に、今後も残りそうな習慣を考えてみよう。ここでは、最も続きそうな4つの習慣を紹介する。

1．オンラインの会議は今後も続く
チームメンバーや顧客を世界各地から10人以上集めたようなオンラインの会議が効率的

に開催されるようになった。この習慣は今後もなくなることはないだろう。経営幹部は、今後もより多くのテクノロジーを受け入れ、通勤や出張を減らすということを前提にしていかなくてはいけない。

2．働く時間帯を柔軟に変える

家庭内で複数の境界を管理するのは難しく、ストレスの多いことだ。しかし、時間を区切るなどの短期的な対策によってその負担は軽減され、新しい働き方を生み出すきっかけになっている。そして一日8時間、週5日働くという常識も崩れてきている。

今後また伝統的なモデルに戻るのだろうか？　私はそうは思わない。柔軟に時間を使うやり方を理解し、実践できるように経営幹部は受け入れるべきだ。週4日勤務にしたり、9時から17時以外の時間に働きたいという社員に応えたりすべきだろう。

3．対面で働く良さを戦略的に考える

在宅勤務をしている人の多くは、同僚に会えないことを明らかに寂しがっている。彼らは、パンデミック後にも家に閉じこもりたいとは思わないだろう。スタンフォード大学の経済学者ニコラス・ブルームは、2010年から2011年の9ヵ月間に自宅で勤務した中国の旅行会社のコールセンター従業員に対して、継続的にその経験を調査した。

実験終了時には、半数の社員が通勤に一日平均80分をかけてでも、オフィスで働きたいと答えた。社会的な交流を求めていたのだ。顔を合わせて交流することで組織にどんな効果がもたらされるのかを経営者はよく考え、そのメリットを最大限に生かす必要がある。

4．子育てに励みたい男性が増えることに対応する

共働きの家庭では、子育ての大部分を担うのはいまだ母親だ。多くの調査結果によると、父親の家事・育児分担は増えているにもかかわらず、働く女性のほうがより大きな負担を強いられている。

今回のハッカソンでは、いかに親たちがより平等に家事や育児を分担しようとしているか、いかに父親が子どもや家族との時間を大切にしようとしているか、熱い思いが語られた。在宅勤務のなかで彼らが感じていた家族への気持ちを、今後も持ちつづけたいだろう。

このことは、父親の育児休暇や柔軟な働き方などの問題にどう取り組むべきか、経営者にはっきりと示している。

長時間労働は当たり前というのが過去のことになったパンデミック後の世界では、成果とは何を意味するのか。もしも人びとがより柔軟に働くのならば、報酬は労働時間に対してではなく、達成した仕事に対して支払われるべきだろうか。

たとえば、ブルームの中国での調査では、在宅勤務をしていた人のほうが生産性が13％高かったとされる。また、親の介護をしたいと考えている優秀な人材が、ペナルティを受けないようにするにはどうしたらいいのだろうか。

こうしたことを考えるためにもこれからの数ヵ月が重要である。私たちは今こそ逆境に強い組織を作るチャンスなのだ。

ダニ・ロドリック
「ギグ・エコノミー」時代の経済政策

「福祉国家はもはや答えではありません」

Photo: Andrzej Barabasz / Wikicommons

Dani Rodrik: «'We are in a chronic state of shortage of good jobs'»
Financial Times 21/2/15, Text by Martin Sandbu
「経済学者ダニ・ロドリック『福祉国家はもはや解ではない。問題は良質な雇用の絶対的不足だ』」COURRIER JAPON 21/5/15

Dani Rodrik　１９５７年、トルコ生まれ。米ハーバード大学を卒業後、プリンストン高等研究所（IAS School of Social Science）教授などを経て、現在、ハーバード大学ケネディ・スクール教授。専門は国際経済学、経済成長論、政治経済学。民主主義、国家主権、グローバリゼーションのトリレンマなどを切り口に、グローバル資本主義を論じた『グローバリゼーション・パラドクス』（白水社）は世界中で話題に。また、１９９７年に刊行された『Has Globalization Gone Too Far?（グローバリゼーションは行き過ぎか？）』（未邦訳）は、米「ビジネス・ウィーク」誌で「この10年間における最も重要な経済書」と称賛される。他に、『貿易戦争の政治経済学』（白水社）などがある。

１９９０年代からグローバリゼーションに警鐘を鳴らしてきたハーバード大学の経済学者ダニ・ロドリックは、現代の課題はグローバリゼーションによって良質な仕事が失われたことであり、今後も規制がなければ、さらに格差が広がっていくと指摘する。そして今後必要なのは福祉国家モデルではなく、良質な雇用の創出に焦点をあてた経済政策だと主張する。

グローバリゼーションのもたらした弊害

ハーバード大学の経済学教授ダニ・ロドリックは、1997年に『Has Globalization Gone Too Far?』という書籍を出版し、グローバル化に対して警鐘を鳴らした。貿易や金融の自由化が正しいと一般的に考えられていた当時、それに対して異議を唱える数少ないトップエコノミストの一人だった。

本紙がロドリックに話を聞くことにしたのは、研究と政策立案の両面で、経済学の世界がロドリックの提言に追いついてきているからだ。資本規制や産業政策の必要性を否定する考えに対してロドリックは懐疑的だったが、そのような教義はすでに影を潜めている。グローバル経済は伝統的なモデルに沿って動いてはおらず、政治家はグローバル化や不平等の拡大に対する激しい反発と戦っている。

――今年（2021年）はジョー・バイデンが大統領に就任しましたが、まずは、アメリカの政権交代についてのご意見を伺いたいと思います。

ロドリック　トランプが政治的に利用してきた問題については、必ずしも解決したとは言えません。トランプの出現は、アメリカだけでなく先進国全体で起きている経済的混乱と経済的分極化の結果です。それを右派ポピュリストが排外主義や民族主義の路線に沿って利用したのです。

最近まで、左派はほとんど活動していなかったように思います。バイデンの政策に見られる通り、民主党の経済政策は大きく左傾化しています。しかし中道左派はもっと緊急にもっと早く、たとえば世界金融危機後に変化すべきでした。

――このような混乱は、30年以上前からあったことです。民主党や他の同様の勢力は、このような変化に対してなぜもっと早くから適切に対応しなかったのでしょうか。

ロドリック　90年代のクリントン民主党、英国労働党、ドイツの社会民主党、フランスの社会党は、基本的に新自由主義モデルを採用し、それを単純に進めることに夢中になっていたと思います。貧しい人たちへの支援を少し増やすなどはしていたかもしれませんが。彼らにはシステムを根本的に変えるようなアイデアや政策ビジョンはなく、それは金融危機の後にはっきりと見て取れました。

実際、伝統的な保守政党と同様かそれ以上に、グローバリゼーション、欧州単一市場、金融・資本の自由化を推進しました。ヨーロッパでこれらの政策を強力に推進していたのはフランスの社会党でした。

――このような変化をもたらしたのは、経済かあるいは文化かという議論があります。経済が原因であることを否定する人びとは、ポピュリスト右派を支持するのは、最も貧しい人でも最も苦しんでいる人たちでもないと言います。

ロドリック　確かに、少しずつ文化的な傾向は出てきています。社会的保守派とリベラル派の間の分裂が広がり、アメリカでは人種による政治の問題が非常に大きくなっています。しかし、対中貿易にしてもヨーロッパの緊縮財政にしても、経済的なショックが極右政党や極右ポピュリズムへの支持を拡大させる背景になったというのは実証的に明らかです。私たちが必要とする説明は、よりグローバルなものです。

２０１６年に大統領に当選したのが、もしトランプではなくバーニー・サンダースだったら、銀行や大企業、国際貿易が犯人であるような、別のタイプのポピュリズムが生まれていたでしょう。でも、そこで語られるポピュリズムの中身は大きく異なります。

念のために加えて言うと、私はバーニー・サンダースが民主主義を阻害しているとは思っていません。これが右派と左派の大きな違いで、右派ポピュリズムは本質的に民主主義を阻害する一方、左派ポピュリズムはそうはしないのです。非常に有害でもっと恐ろしくなりうる右派ポピュリズムから身を守るために、今はより多くの左派のポピュリズムが求められていると言えます。

今求められる経済政策のありかた

——経済学において一定の左派ポピュリズムの存在は良いことだとおっしゃいますが、ご存知の通り、新しい社会契約が必要だという議論が現在たくさんあります。私たちは何をめざすべきでしょうか。

ロドリック　福祉国家はもはや答えではありません。福祉国家は素晴らしい制度でしたが、それは充分に教育に投資を受けた人が仕事に就けるようになることを前提としていました。そのうえで社会保険や給付、累進課税制度を用いて、社会からこぼれ落ちそうな人や個別に経済的な打撃を受けた人の面倒を見る。そうすれば、誰もがまともな仕事と生活を得られるという包括的な社会を作れました。

西ヨーロッパでは、何十年にもわたって、この制度が見事に運営されてきました。アメリカはさまざまな点でまだ不充分です。しかし、アメリカにおいてでも、税金や資金配分、教育への投資を増やすことで問題を解決するとは思えません。

現代においては、技術の変化や世界市場のグローバル化など、さまざまな傾向のために、良質な仕事が慢性的に不足しているという問題があります。右派ポピュリストグループへの支持が増加した背景には、良質な雇用の消滅があると私は考えています。

この問題に対処するためには、少なくとも4つの異なる政策が必要です。まず、積極的な労働市場政策については大いに改善の余地があります。雇用主と連携し、雇用者が必要とするハードスキルとソフトスキルを得られるトレーニングプログラムを提供すべきです。

第2に、産業・地域政策においては良質な雇用の創出が目標とされなくてはいけません。従来のように、設備投資や国際競争力、イノベーションに重点を置くことは少し控えるべきです。これらがうまくいっても、良い雇用を生み出すことには必ずしも繋がらないからです。

第3に、イノベーション政策を見直す必要があります。労働力に代わるものではなく、労働力を補強するための技術に対する投資は何も行われていません。

第4に、国際的な経済政策は、各国の経済政策が国際的な裁定取引に妨害されないようにしなければなりません。

――その実現のためには、具体的にはどのような政策が必要でしょうか。

ロドリック　苦境にある地域に優良企業からの投資を誘致するようめざし、無制限の補助金や税制優遇をやめて各企業に合った最適なサービスを提供するべきです。たとえば、企業が投資できるように、廃れた地域を整備しなおしたり、インフラや技術を提供したり、特定のスキルに投資したり、マーケティングやビジネスプランを支援したりなどの対応です。

イノベーションに関しては、テクノロジーが仕事に必要なスキルを急速に変化させています。労働者は教育や継続的なトレーニングを受けて変化に適応していく必要があるという意見をよく耳にしますが、私はこれに反対です。止まることのできない列車に、社会の他の部分が合わせなければいけないというのでしょうか。また、イノベーションシステムやシリコンバレーでは、民間でも公共セクターでも、労働力を減らすという規範が組み込まれています。

最後に相対的な力です。労働者が職場で発言力を持てば、自分のスキルに代わる技術の導入に反対するかもしれないし、少なくとも、その導入による労働者に対する負の影響が少なくて済むようになるでしょう。

テクノロジーはグローバル化より労働市場に大きく影響する

——しかし労働力を減らす技術と労働力を増強するための技術というのは、どれほど対になりうるのでしょうか？　ある労働者のスキルを補完する技術で生産性を高めても、それによって他の労働力が不要になりそうです。

ロドリック　歴史的にも、ろうそく職人や馬車の運転手が職を失った一方で、電球や自動車産業では多くの雇用が創出されています。必ずしもこれらの新しい技術が私たちの仕事を奪っているわけではありません。

私が心配しているのは、グローバリゼーションの議論にもよくあった、次の点です。グローバリゼーションはバランスよく新しい雇用を創出するか、少なくとも雇用の構成を変化させるだけで、全体的な雇用レベルを変化させることはないとされました。しかし、実際はそうはならず、仕事の構造が変化し、恵まれた比較的少数の人が恩恵を受けた一方で、多くの人びとは同程度の収入を得られなくなりました。

テクノロジーは、グローバリゼーションよりもはるかに大きな衝撃を社会に与えると思います。多くの人びとが、非常に不安定で自律性をほとんど与えられないギグ・エコノミー（企業に雇用されることなく、インターネットなどを通じて単発の仕事を受注する働き方）の仕事に追いやられ、恩恵を受けるのは非常に高いレベルのスキルを持った専門家という比較的小さなセグメント（部分）のみであるとしたら……。私が懸念するのは、その社会的・政治的な影響です。

――こういう現象が起きているのは、テクノロジー自体の性質によるものなのか、それとも規制環境によるものなのか、どちらでしょうか。

ロドリック　両方でしょう。特に、アメリカのように労働市場の規制が非常に弱い国では、もっと強くする必要があります。

セクターごとの賃金交渉に近いものが必要だと思います。たとえばセクターに応じた最低賃金や労働基準の設定などです。そのためには労働組合は必ずしも必要ではありませんが、それと似たものが必要です。

――バイデンが最低賃金を時給15ドルに引き上げたとしても、充分ではないということですか?

ロドリック　それが行き過ぎになる場合もあるかもしれません。それはわかりません。ただ、アメリカの最低賃金は長期間にわたって低いままですから、引き上げるタイミングだとは思います。でもリスクは常にあります。

不確実な社会で求められるのは大胆な経済政策

――貿易やグローバリゼーションの政策が、こうした国内政策の邪魔になってはいけないとおっしゃいました。そういった危険性を長く警告してこられましたが、他の経済学者たちもそれに追いついたと思いますか?

ロドリック　ある程度はそうですね。15年前よりもずっと浸透してきたと感じています。しかし、私の考えが通念の一部とみなされるのは好ましくありません。それが通念になる頃には、次のアイデアが求められますから。

ではどこが変わったのか、考えてみましょう。たとえば、自由な資本の流れが神聖であるとする考え方。これは知的には過去のものです。政策上の問題としてはなくなっていませんが、議論は失われました。

次は産業政策に関する考え方で、最近は誰もが産業政策を求めています。貿易政策は非常に大きな分配効果があるので、管理しなければならないという考えが主流です。

私が思うに、これらすべてを新しいコンセンサスに置き換えようと望むことと、つかみどころのない流動的な時代であるがゆえの不確実で不安な現実の間には、難しさがあります。

私の同僚の多くは、「あなたが支持する、実績のある政策を教えてください。実際にうまくいった結果を見せてください」と私に問いかけます。しかし、この問いかけは現状にそぐわないと思います。それはあたかも、フランクリン・ルーズヴェルトは実証済みで実績のある政策だけを取るように強制されるべきだった、と言っているようなものです。新しいことに何も挑戦しないための方便にすぎません。ルーズヴェルトははっきりと「今は実験をしなければならない」と言っていました。

——「大胆で粘り強い実験」というのがルーズヴェルトの言葉ですね。グローバリゼーションはどこへ向かうのでしょう。

ロドリック　グローバリゼーションの現実的な問題は、欧米と中国の間にあります。両者がどのように決着をつけるかということです。バイデン政権は、残念ながら中国に対する強硬姿勢というトランプ主義の一部を継承しました。特に人権問題など、強く出るべき分野があるのは確かだと思います。

　しかし、非常に大きな経済的コストを払わずに中国経済を西側諸国の経済から切り離すことは不可能であることを認識する必要があります。貿易ルールや投資協定を通じて中国経済を再構築するなどということは、中国の政治や人権慣行を抜きにしても、西側諸国にはとうてい不可能です。

　この2点を考慮すると、制度的な取り決めに大きな違いがあることを理解したうえで、より薄いバージョンのグローバリゼーションをめざすことになります。制度的な取り決めが似ている場合は、より深い経済統合を維持することができます。制度の違いが大きい場合には、各国が独自の技術システム、社会保障制度、労働市場を守ることを認めなければなりません。

　いくつかの領域では経済的コストがかかることもあるでしょう。必ずしもインターネットを単一のものに統一する必要もありません。国家の安全保障や工業技術的な欠陥を懸念すると、通信機器の最も安い製造元は使わなくなるでしょう。

——国内での新しい社会契約の議論については、今後どうなるとお考えですか。

ロドリック　明らかに、今は大きな変化を起こすのに適した時期です。しかし、だからといって、大きな変化が必ず起こるとは限りません。何とか対応していくのでしょう。バイデンが、大きなリスクを取って、必要な構造改革を行えるほど勇気のある人物であるかどうかはわかりません。

パンデミックが終わって通常の状態に戻り、経済が以前のトレンドに追いついて成長しはじめたら、構造改革を求める圧力は消えてしまうのでしょうか。率直に言って、その可能性は高いと思います。

——政策立案者は廃れた経済学者の奴隷であるというケインズの古い言葉の通りだとしたら、知的コンセンサスが変化してから数十年は待たなければならないのかもしれませんね。ありがとうございました。

第５章　文化という希望

カズオ・イシグロ
AIロボット時代の「私」

「今の資本主義社会のしくみでは、職場が一種のアリバイのような役目を果たしている」

Photo by Jason Merritt / Getty Images

«Kazuo Ishiguro Sees What the Future Is Doing to Us» The New York Times Magazine 21/2/23, Text by Giles Harvey
カズオ・イシグロ「私が子供の頃から信じていたものは、幻想だったのかもしれない」COURRIER JAPON 21/5/2

カズオ・イシグロ　1954年、長崎県生まれ。5歳のとき、海洋学者の父親の仕事でイギリスに渡り、以降、日本とイギリスの二つの文化を背景に育ち、その後英国籍を取得した。ケント大学で英文学を、イーストアングリア大学大学院で創作を学ぶ。長篇デビュー作『遠い山なみの光』で王立文学協会賞を、『浮世の画家』でウィットブレッド賞（現コスタ賞）を受賞した。1989年発表の三作目『日の名残り』では、イギリス文学の最高峰ブッカー賞に輝いた。2017年にはノーベル文学賞を受賞。2018年に日本の旭日重光章を受章し、2019年には英王室よりナイトの爵位を授与された。最新刊は、『クララとお日さま』（いずれも早川書房）。

2021年3月に最新作『クララとお日さま』を世界同時発売したカズオ・イシグロ。2017年にノーベル文学賞を受賞した彼は、技術革新の時代における人間の脆弱性への深い洞察力を、今回の新作でも存分に発揮している。

母が原爆を経験した長崎での幼少期や、本気でシンガーソングライターをめざしていた時代の思い出から、作家人生で最も残念に思っていることまで、米誌「ニューヨーク・タイムズ・マガジン」が、作家の真髄に切り込むロングインタビューを掲載した。

忘れられない記憶

１９８３年10月下旬の、肌寒い快晴の土曜日。二極化した超大国間の水爆戦争が現実味を帯びてきたことで、ロンドン中心街に25万人が繰り出した。

そのなかに、初めての小説を出版したばかりのカズオ・イシグロという若き作家がいた。イシグロの母は、１９４５年の長崎の原爆を経験している。したがって、彼がこの日のデモ行進に参加することは、いわば息子の務めのようなものだった。

彼は友人たちとともに、西側諸国の核放棄を要求するスローガンを唱えて歩いた。西側が放棄すれば、東側もただちにそれにならうだろうという見込みにもとづいていた。

プラカードを掲げ、旗を振る群衆は、ビッグベンを過ぎてハイドパークへ向かう間、多幸感に酔いしれた。抗議活動は全ヨーロッパで同時多発的におこなわれており、束の間、ほんとうに事態は変えられるのではないかと信じてもよさそうだった。

だが、もしこのすべてが、おそろしい間違いだったとしたら――そんな疑念を、イシグロは払拭できずにいた。

片側だけの武装解除は、理論上は良くても、実践したら裏目に出て大惨事を招くことになるかもしれない。デモ隊の意図が善意であることはわかっているが、見当違いな大衆の感情に踊らされているのでは、という危惧をイシグロは抱いた。

「自分は間違っていたのかもしれない」と悩む主人公たち

イシグロの両親と祖父母は、ファシズムの勃興と崩壊の時代を生き抜いた世代だ。そのため彼は、群衆の持つ危険な力について聞かされて育った。1980年代のイギリスは、1930年代の日本とは大きく異なるとはいえ、共通する特徴があることを彼は見抜いていた。

派閥意識、白黒はっきりさせたがる性向、政治的にどちらを支持するかという一般人への重圧。温厚で思慮深いイシグロは、この重圧を強烈に感じた。人生の最後になって、自分自身が間違った理念に加担したと気づくのは避けたかった。

このような懸念は、当時執筆中だった小説『浮世の画家』に表れた。語り手の小野益次は、「自分は間違った理念を支持したのではないか」という疑念に向き合うことを、先延ばしにしてきた人物だ。

同作の舞台である1940年代後半の日本において、老齢の画家・小野は、道義的問題でのバッシングに苦しんでいた。日本の帝国主義を称揚する絵画で名を馳せたことは、戦後の民主化された時代には汚名でしかなかった。

ニーチェは精神的抑圧の働きを要約し、『「私がやった」と記憶は言い、自尊心が「私がやったはずはない」と答える。結果は、記憶の負け』(『善悪の彼岸』)だとしたが、イシグロの小説では、小野の自尊心と記憶の綱引きは、自分自身にひた隠しにしていた物事に目を向けるときの、饒舌な語りの背後でおこなわれている。

『浮世の画家』の小野と同様、1989年にブッカー賞を受賞した『日の名残り』の語り手であるイギリス人執事スティーブンスも、自覚が足りなかった人物だ。スティーブンスは、人生の終盤になって初めて、自分がとりかえしのつかないことをしたのだと気づく。彼はナチ・シンパの主人に仕えることに没頭し、愛する女性にもよそよそしく対応して、両大戦期間にあたる人生の最盛期を棒に振ってしまったのだ。

成功の陰で自分の認識を問う

2017年にノーベル文学賞を受賞するに至るまで、イシグロは多くの賞に恵まれてきた。しかし、どんなに称賛されようが、「もし自分が間違っていたら? もしとんでもない間違いを犯しているのだとしたら?」という、1983年10月のデモ行進の際に悩まされた疑問から解放されることはなかった。

2017年12月7日のノーベル賞受賞講演で、彼はこう打ち明けた。

「ここ何年か私は泡の中に生きてきたことに、最近気づきました」と、金色の書見台を前にした彼は言った。「私を取り巻く世界は教養と刺激にあふれ、リベラルな考えをもつ皮肉っぽい人々が集まっている世界です。しかし、それは想像していたよりずっと小さな世界だった、といま思います」(以下、引用はすべて土屋政雄訳『特急二十世紀の夜と、いくつかの小さなブレークスルー』早川書房)。

イシグロは、ブレグジットとドナルド・トランプ支持の高まりがあらわになったことに不満を持ち、現状はひどく気がかりなものだと、認識を改めなくてはならなくなった。

「私は子供のころから、リベラルで人道主義的な価値観を信じ、その広がりは止めようがないと信じてきましたが、それが幻想だったかもしれないと認めざるをえなくなりました」

最も影響を受けた作家

新作『クララとお日さま』は、ノーベル賞受賞後初の作品である。舞台は近未来のアメリカで、社会の分断はさらに広がり、リベラル・ヒューマニズムの価値観はほぼ死に絶えたかのように見える。それにふさわしく、ＡＩを搭載したロボット、クララが世界の窓として語りを担う。

この作品自体が、人間の自己認識のパラダイムシフトから生じる、一連の疑問に語りかけている。――いずれは機械で意識も複製可能となるのだろうか。個性について語ることは、まだ意味があるのか。人間は例外的存在だという認識も、トランジスタラジオと同じ道をたどることになるのか、といったことだ。

イシグロの長年の友人で、以前の担当編集者だったロバート・マクラムも認めるとおり、イシグロは控えめで落ち着いた人柄で、彼の書く文章もそうだ。

たとえば、同時代作家のマーティン・エイミスやサルマン・ラシュディなどの小説は時に、作者の才能を見せつけるための一手段だと感じられることがある。彼らの高度に磨かれた文章は、技巧的に優れているのは明らかだが、作品全体は部分の総計と必ずしも等しいわけではない。

イシグロはこれとは反対のアプローチをとる。一見、彼の作品は平凡に見える。「ここ数日来、頭から離れなかった旅行の件が、どうやら、しだいに現実のものとなっていくようです」という『日の名残り』の出だしの一文に幻惑される、とはとても言えまい。

『日の名残り』の語り手スティーブンスが、自分がおセンチな恋愛小説を好むのは、それを読むことが「英語力を維持し、向上させるのに、ひじょうにすぐれた方法である」からだと自己を正当化するとき、ほんとうのアクションは行間で、あるいはその裏で起こっている。おセンチな恋愛小説が、陰気な中年執事の、ちょっとした願望充足になっているのかもしれない、ということを、読者が自分で推論するようになっている。

イシグロが最も影響を受けた作家として挙げたのが、シャーロット・ブロンテであるのも頷ける。彼は、語り手が自分の感情を自分自身からも隠しているが、それが読者に透けて見えるという一人称の語りを、『ジェーン・エア』から学んだのだ。イシグロ自身、この作品を数年前に読み返しながら、「うわっ、ここからパクったのか」とくりかえし思ったそうだ。

『ジェーン・エア』からの影響は、イシグロの最新作にも引き継がれている。クララは人工親友（Artificial Friend）と呼ばれる、機械じかけの住み込み家庭教師ロボットで、職探し中なのだ（註：『ジェーン・エア』の主人公も孤児院を出た後、住み込みの家庭教師となる）。

冒頭では、クララの人工意識が拡張していくさまをリアルタイムに観察するのが楽しい。まず、空間、色、光などの物事を把握するようになり（人工親友は太陽光で動く）、まもなくより難解な現実、たとえばその社会の特徴であるカースト制度などについて、頭を働かせるようになる。

イシグロが見る「戦後世代」

リベラル・デモクラシーについてイシグロは、「私が意識するようになって以来、以前よりも今日のほうが脆弱になっていると感じます」と言った。

このときの取材は2000年11月半ば、彼はロンドン北部のゴールダーズ・グリーンの自宅にいた。私がいるロサンゼルスでも、リベラル・デモクラシーは頑健だとは言い難かった。大統領選でジョー・バイデンが勝利し2週間が過ぎていたが、ドナルド・トランプとその支持者たちは抵抗を続けていた。

イシグロは、10代後半から20代前半まではシンガーソングライター志望で、髪を肩まで伸ばし、ひげは山賊スタイル、破れたジーンズに派手な色のシャツを着ていた。今ではひげも長い髪もやめて、服は黒しか着ない（「買い物嫌いだけど、カッコよくは見せたいから、黒いTシャツを一度に1000枚買ったのよ」とは、イシグロの娘ナオミの証言）。

この日も、黒色のシャツに縁なしメガネというういでたちで、パソコンを前に背を丸めて座っている。彼の右手にはペンギン・クラシックスが並んだ本棚があり、左手にあるのは予備のベッドで、ぬいぐるみがびっしり並んでいる。

戦後時代の幕開けに生まれた自分の世代を、イシグロは好んで『キートンの蒸気船』のバスター・キートン演じる役になぞらえる。嵐のなか、主役の彼が立っていると、目の前で家の前面が崩れ、頭上に落ちてくる、という有名なシーンがある。開いていた2階の窓に、身体がすっぽりはまったおかげで事なきを得るのだ。

「我々の世代は、自分たちがなんとギリギリのところで助かったのか、ということに気づいていないのです」。イシグロは控えめな、落ち着いた声で語る。「もうちょっと早く生まれていたら、戦争やホロコースト——ああいった残酷なことすべてを経験したのでしょうけど」。

代わりに、かつてないほどの物質的快適さに満ちた世界を引き継ぎ、性革命の全盛期に大人になった。「僕の娘の世代にとっては、物事はそれほど安定的ではないでしょうね」と彼は言った。

「西側諸国では、冷戦終結後、不平等が大規模に広がるのを許容してきましたが、かなりの数の人びとが、それはたぶん自分のことじゃないよね、と思わされているのです」

イギリスで「柔道の達人」を自称

「ゲルニカ」や「チェルノブイリ」同様、「ナガサキ」という言葉は実在の地名というより、大量破壊兵器投下の地という象徴的意味合いが強い。だが、他ならぬこの地で、イシグロは1954年に誕生した。その頃までには街の再建が大幅に進み、もう誰も戦争を話題にしなかった。

彼は幼少時代を、三世代同居の、畳や障子がある家で過ごした。小津安二郎監督が映画のなかで、消えゆく生活様式の象徴としてすでに用いていたような家だった。自動洗濯機もテレビもなく、イシグロはお気に入りの番組『ローン・レンジャー』を観るために、近所の友だちの家に行かなくてはならなかった。

イシグロの父・鎮雄は海洋学者で、その高潮研究にイギリス政府が目をつけた。1960年に、短期の研究職に招聘され、家族とともに渡英し、ロンドンから車で1時間の小さな町ギルフォードで暮らした。

長崎同様、ギルフォードも昔ながらの生活習慣が残っている土地だった。曲がりくねった細い道が、牛の群れで塞がることもしばしばだったし、牛乳配達の荷馬車も健在だった。

イシグロ家が到着したのはイースターの時季で、十字架に釘付けされ、両脇から出血している男の、ぞっとする絵や像が町中に掲げられているのに衝撃を受けた。住民は皆白人で、ヨーロッパ大陸出身者ですら珍しい存在だったが、それでも新参の一家を温かく迎えた。

イシグロはすぐに言葉を身につけ、学校では自らの異国性を強みにして、たとえば柔道の達人を自称するなどした。教会にも行くようになり、少年聖歌隊長も務めた。奇妙に思えることでも、「郷に入《い》っては郷に従え」が一家の信念だった。

ボブ・ディランやジョニ・ミッチェルから学んだこと

イギリス生活は一時的なつもりだったが、鎮雄には毎年研究資金がついて、帰国は年々延期された。二つの文化の間で育ったイシグロは、目の前の環境に対して超然とした気持ちを併せ持ちながらも吸収し、5歳で後にした故国については、神話性を帯びたイメージを構築していった。

元教師の母・静子から聞いた戦時中の逸話は、容易には忘れられないものとなった。原爆によるやけどで、皮膚がすっかりむけてしまった男が、生きた状態で水桶の中におさまっているとか、列車の窓から目に入った、牛の頭だけがあって胴体はどこにもない光景などだ。

祖父が定期的に送ってくれるマンガや本は、かの国を魅力的に描いていた。とはいえ、イングランドにおろした根が太くなればなるほど、帰国が現実的ではなくなっていった。両親は、１９６０年代後半に永住を決めた。

多くの小説家とは違い、イシグロは10代の頃、文学ではなく音楽に熱中していた。１９

68年に初めてボブ・ディランのアルバム『ジョン・ウェズリー・ハーディング』を買い、そこから遡って研究した。

イシグロと友人たちは、何時間でも腰をすえてディランの曖昧な歌詞を、あたかも一字一句理解しているかのように褒めたたえた。何もわかっていないのにわかっているふりをする、青春の縮図のようなものだったと彼は言う。

だがイシグロは、わかったふりをしていただけではなかった。ディランをはじめ、レナード・コーエンやジョニ・ミッチェルなどから、たった数語でも登場人物が立ち上がってくる一人称の可能性を学んだのだ。

社会の「上」も「下」も見た青年時代

ケント大学に入学して英文学と哲学を専攻する前に、イシグロはアメリカをヒッチハイクして回り、帰国してからはさまざまな仕事を経験した。そのなかには、スコットランドのバルモラル城で、クィーン・マザー（エリザベス王太后）のライチョウ狩り出し係（勢子《せこ》）をするというものもあった。

クィーン・マザーと客人たちが銃を持って待機している塁堤の、1・6キロかそこら後方から勢子たちは出発し、荒野をとぼとぼと歩きつづけ、ライチョウを射撃場へ追いやる。シーズンの終わりには、勢子をねぎらう陛下主催のドリンクパーティーにも参加した。

この経験が、歴史ある一流のカントリーハウスの事情を一瞥する有意義な機会になったとするなら、それとは対極の暮らしについて何かを得たのは、大学卒業後にボランティアで参加した、ロンドン西部でホームレスの人たちに住居を斡旋する仕事だった。

イシグロはそこでの勤務中に、グラスゴー出身のソーシャルワーカー、ローナ・マクドゥーガルと知り合い、後に結婚する。

マクドゥーガルはイシグロの最初の、そして最も重要な読者であり、時に手厳しいコメントもする。暗黒時代のブリテン島を舞台にした歴史ファンタジーである前作『忘れられた巨人』(2015年)の出だしから80ページを読んだ彼女は、凝った会話は全然機能していないし、最初からやり直す必要がある、と告げた。イシグロはその指摘に従った。

創作人生の始まり

イシグロは創作を学ぶため、1979年にイーストアングリア大学大学院を受験し、合格。在学中に第一作となる小説『遠い山なみの光』に着手した。舞台の大部分は、5歳で離れてから一度も戻っていない、想像のなかの日本だ。

自己正当化の必要はないとくりかえし主張しながら、結局は自己正当化になっている本作の独白は、以降の作品にも見られる特徴である。悦子はイングランドに暮らす中年女性で、娘を自殺で失ったばかり。はじめは、この悲劇についての何らかの告白があると読者は期待して読み進めるが、そうではなく悦子が語るのは、長崎にいた頃に知り合いだったある女性とその娘の話なのだ。

そのうち読者は徐々に、悲しみにくれた悦子が、娘に対するやり場のない思いを、昔のこの知り合いの親子の話に置き換えているのでは、と思うようになる。1982年に出版された『遠い山なみの光』は、世間から高い評価を受けた。

当時、イシグロはまだ27歳。翌年の春、文芸誌「グランタ」は、サルマン・ラシュディ、マーティン・エイミス、イアン・マキューアンらとともに、イシグロをイギリスの最有力若手作家としてリストアップした。「グランタ」から認められたことで自信を持ったイシグロは、仕事を辞めて文学に専念することにした。

緻密な執筆プロセスと、創作メモの内容

イシグロは、登場人物の声を聞き取って即興で書き上げる、という類の作家ではない。じっくり計画し、辛抱強く、細部まで入念にこだわる。正式に執筆に着手する前に、制約を設けず自分との会話に数年を費やして、トーン、設定、視点、動機、作り上げようとし

ている世界の内部と外部などについてのアイデアを書き留める。

たとえば、2001年前半に『わたしを離さないで』の構想ノートに書いた、語り手についての心理的特徴を明確にしたメモには、こう書かれている。

「(語り手の)キャシーの自己欺瞞は(小野やスティーブンスなどのように)過去に起こったことに対してではなく、将来起こることに対してである」

その2日後、イシグロはクローン人間たちについて考えあぐねていた。「刑務所のような環境におかないほうがいいか? 住んでいる場所は、もっと広いコミュニティーにすべきか? 彼らが囲われ、標識をつけられ、任務をまっとうさせられる方法は他にあるだろうか? たぶん、ない。本人たちが刑務所だと認識しない刑務所が最適だ」

一度だけ、これから書こうとする小説全体の詳細な計画を立てたことがある。その場合も、磨き抜かれた一連のやり方に則る。まず、途中で見直しはせずにざっと書き進めていき、一章分を草稿にする。それから通し読みをして、いくつかのセクションに区切って番号をふる。まっさらの紙に今書いたばかりの話の地図のようなものを描き、草稿の番号をふった節ごとに内容を短く箇条書きにする。

それぞれのセクションがどうなっていて、互いにどう関連し、調整や推敲が必要かどうか、などを把握するためだ。この紙から始めて、次にフローチャートを作成する。これがより念入りな、熟慮を重ねた二次草稿のベースになる。二次草稿が納得のいくものになってはじめて清書する。それから次の章に移り、同じプロセスを踏む。

作家はあくまで「やるのを許可されたもの」

仕事以外のことはほとんど考えないという作家もいるが、自分の場合はまったく違う、とイシグロは説明する。何も書かずに何年も過ごすことができるし、それを気に病むこともない。

『クララとお日さま』は、長篇小説としてはまだ8作目だ。例の「グランタ」にリストアップされたほぼ同時代の作家たちを挙げると、ラシュディが12作、エイミスは15作、マキューアン16作。イシグロは次の作品に取りかかるまで、友人とランチをしたり、ギターを弾いたりして過ごす。

「たぶん、僕よりあなたのほうが仕事をしていますよ」。12月初旬のある夜にイシグロは言った。そのとき、彼はセカンドハウスにいた。グロースターシャーの田舎の、17世紀に建てられたライムストーン製のコテージで、妻のマクドゥーガルと一緒によくここで週末を過ごす。

自身が比較的寡作な作家であることについて、彼はこう述べた。「それについては残念に思ってはいません。いくつかの点で、自分の職業に一意専心というわけではない、と自覚しているのです。一番なりたかったのはシンガーソングライターで、なれなかったから作家になった、という感じなんです。

人生でずっとこれだけをやっていたい、というものではなく、やるのを許可されたものなのです。だからね、自分がほんとうにやりたいときにやって、そうでないときはやらないんです」

しかし、「ほんとうにやりたいとき」には、全力でやることができるのだ。『日の名残り』の最初の草稿は、4週間「漬け」で書き上げた。その間、朝から晩までひたすら書きつづけ、食事のとき以外は手を休めなかった。当時はそのやり方がうまくいったし、前払い金も欲しかった。

だが、そんながむしゃらな日々は、今では完全に過去のものだ。現代の仕事のあり方や、つねに臨戦態勢でいないといけない風潮に疑念を持ち始めたのである。

「今の資本主義社会のしくみでは、職場が一種のアリバイのような役目を果たしていて」と彼は言う。

「ちょっと嫌だなというものを断ろうとするときは、『すみません、今は仕事でふさがっているんです』と言うだけでいいのです。私たちはみな、仕事に埋没するように奨励されているのです」

サッチャー政権が作品に与えた影響

イシグロが作家として一人前になったのは、1980年代前半のことだ。当時イギリスを含めた西側諸国は、市場原理主義が猛威を振るっていた。「革命を望んだことは一度もありませんでした」。若かりし頃のことを、彼はそう述べた。

「でも、我々はもっと社会主義的な世界、もっと寛容な福祉国家の方向に進んでいけるのだろうと信じていました。大人になるまでずっと、それが総意だと信じてきました。でも、僕が24か25歳のとき、イギリスはマーガレット・サッチャーの登場でかなり方向転換をしました」

彼が作品中で、サッチャーの新自由主義政策について明確に触れたことはないが、人間性への悪影響は反映されている。イシグロ作品の登場人物にとって、働かないことは選択肢にないし、そんな性分でもない。執事の仕事に没頭しすぎのスティーブンスは、臨終間近の父を残し、階下の客人たちに仕えるため部屋から出ていく。

新作における人工親友のクララはスティーブンス2・0で、睡眠も食事も必要なく、プライベートもいっさいいない。

『わたしを離さないで』が示す社会の矛盾

ノーベル賞受賞講演で、リベラルで人道主義的な価値観の広がりは止めようがないと信じてきた、とイシグロが述べたとき、その表現はいくぶん控えめだったのかもしれない。実際、彼の作品では、現行のリベラルな秩序の欠陥や、その受益者の見て見ぬふりが取り上げられている。

批評家ジェイムズ・ウッドが「今の時代の中核をなす小説のひとつ」と述べた『わたしを離さないで』（2005年）では、クローン人間が我々読者の映し鏡であるのと同時に、非クローンの人物たちもそうだ。

本作において、語り手のキャシーをはじめとするクローン人間たちの使命は、非クローン人間に臓器を提供することだ。非クローン人間たちは、クローンの大量殺戮を平然と是認している。

あるとき、ぞっとするようなクローンの生育状況が報道されて抗議の声が上がる。しかし、臓器の供給が無尽蔵ではない世界——がんや心臓病が不治の病である世界——には誰も戻りたくないので、制度的変革に関する議論は失敗に終わった、と読者は知る。

代わりに、クローン人間のための進歩的な寄宿学校、ヘールシャムが設立された。今の体制を根本的に変えることなく、自分たちの罪悪感のはけ口にするという妥協的な措置だった。

クローンが死ぬために育てられるのは変わらない。でも彼らのうちの少数は、手術台にあがる時が来る前に、田舎の心地よい環境で詩を読んだり、工作をしたりする機会が与えられる——。

個人主義が「両刃の剣」である現代

イシグロの小説が我々の社会経済的体系とパラレルになっていることは、何もマルクス主義の革命家にならなくともわかる。小売業や医療、その他の業界の低賃金労働者たちは、大半がやっとのことで食いつないでいる状態であり、昨年（2020年）はずっと、生活のために働いて命取りのウイルスに身をさらす、という事態に日々直面していた。

『わたしを離さないで』で、クローンは婉曲的に「ドナー」と呼ばれるが、その言葉はクローンがおかれている不本意な状況の本質を、クローンにとっても人間にとっても曖昧なものにする。アメリカにおいて、「エッセンシャル・ワーカー」や「最前線のヒーロー」という言葉は、似たような機能を持つ。

他方、アメリカの億万長者のほぼ4割が、昨年3月よりさらに資産を増やした。もちろん、何人かが主張したように、パンデミックがアメリカの体制が持つ本質的な残酷さを「暴いた」のではない。見ようとする者にとっては、その残酷さはつねに自明なこととして存在している。

ここにきて非常にめだつようになった不正義は、今後変革され改善に向かうのか、おなじみの妥協的措置のくりかえしになるのか。

鏡面としての『わたしを離さないで』で一番怖いのは、クローンが団結しないことかもしれない。彼らの苦しみは集団的なものなのに、個人的なかたちの抵抗しか思いつかない。ストライキや反乱を起こすことはないし、逃げようともしない。選ばれたごく少数、すなわちほんとうに愛し合っているのを立証できたカップルには、「猶予」が認められるかもしれないという噂に、ただひたすら一縷の望みをかける。

アメリカ人哲学者のナンシー・フレイザーは、イシグロは個人主義が「両刃の剣」だと暴いた、と評価した。教養教育を受けたヘールシャムのクローンたちは、自分をかけがえのない、唯一無二の存在であると思うようになる。だがヘールシャムの外では、彼らは人体の補給部品の提供元としてしかみなされず、その現実との折り合いについて、学校がきちんと教えることはない。

フレイザーは、我々の社会でも同じことが起きていると見る。

「我々が自身の命は自分で責任を負うものと教え込まれ、商品を購入し所有することで願望を満たすよう奨励され、集団行動ではなく『個人での解決』に導かれるのは、『個人』としてなのです——貴重でかけがえのない自身のために、猶予を求めるように勧められることも同じです」

今は「『個人とは、実際何なのだろう』と問わざるを得ない状況」にある

『クララとお日さま』はイシグロの最高傑作ではない（第三幕に問題があり、クララが仕える少女ジョジーと家族の描き方が奇妙なほど不充分）が、この自由の制約的な見方を乗り越えることができなかったら、我々はどこに向かうかという未来像を示している。

ここで想定されている未来について最も不安に思えるのは、クララのような機械がだんだんと人間に似てくることではなく、人間がだんだんと機械に似てくることだ。

読み進めるうちに、ジョジーが抱える謎めいた病気は、知的能力向上のための遺伝子編集手術のせいであることが明らかになっていく。この手術はハイリスク・ハイリターンで、将来スーパーエリートの仲間入りをすることが主な目的だ。この手術を受けない、もしくは受ける金銭的余裕がない人たちは、基本的には奴隷のように働く道しかない。

昔から続いてきた宗教的信条が、進化論によって疑問に付された時代に活躍した、ドストエフスキーなどの19世紀の作家を、イシグロはつねにうらやましいと思っている。今の時代なら大げさに聞こえるようなことを問うのも、当時はごく自然だったようだ、と彼は言う。

人間の魂は存在するのか? もし存在しないなら、人生の目的についての我々の理解にどんな影響があるだろうか?

「僕が育った時代には、そのような問いは事実上なされていませんでした」とイシグロ。「ところが、科学やテクノロジーにおける現在のとてつもないブレイクスルー(進歩)によって、そのような疑問に立ち返り、『個人とは、実際何なのだろう』と問わざるを得ない状況にあると思います」。

二度となかった「あの夏の高揚感」

執筆を開始した瞬間からほぼ成功続きのイシグロに、そのすばらしいキャリアのなかで残念に思った最大のものは何かと訊ねた。

「人生がパラレルに動いている感じですね」。取材を受けたり、文学賞をとったりする公的な自分と、書斎で来る日も来る日も、想像の世界をかたちにしようとがんばっている私的な自分とを区別して、イシグロはこう述べた。

「本を書き上げると、たいていの場合、自分が書きたかったことを完全には書いてなかったのではないかという思いが残るのです。おそらく、それが書き続ける原動力になっているのでしょう。机に戻ろうとする衝動をいつも感じます。書きたかったことを書いたぞ、と感じられたことがないからです」

高校を卒業した夏、イシグロは音楽仲間とともにスコットランド西海岸のロッジで数週間を過ごした。楽器とポータブルカセットプレイヤーを持ち込み、昼も夜もレコーディングに明け暮れた。イシグロにはお気に入りの曲『恋はフェニックス』のアレンジについて、長らく温めていたアイデアがあった。

「友だちをおだてて、あれをやれ、これをやれと指図しちゃって」と彼は振り返った。

「そのなかの一人がたまたまとびきりのギター弾きだったのと、非常に才能のあるヴォーカルも一人いたという、すべてが偶然の産物でした」。その曲は、彼がほぼ思い描いた通りに仕上がった。

「僕の頭のなかに観念として存在していたものが、形になって出てきた、そこにあったのです」。目を細め、声を落として彼は続けた。

「こうあってほしいといつも思っていた、それに限りなく近い仕上がりだったのです。異様な高揚感に包まれたのを覚えています」

遠い夏の記憶から抜け出した彼は、穏やかに一人笑いをした。「あの時点では、こういう瞬間はこれからもたびたびあるのだろうと思っていましたが、振り返ってみると、二度となかったですね」

クロエ・ジャオ
アカデミー賞監督が語る、
現代「ノマド」の人生

「私たちは、何か大きなものの一部である」

Photo by Chris Pizzello-Pool / Getty Images

クロエ・ジャオ監督「人が旅に出るのは、自分を定義するものがなくなったから」COURRIER JAPON オリジナル　21/4/3

Chloé Zhao　中国生まれ。アメリカで活動する映画監督。短期雇用の仕事をしながら、古いキャンピングカーで暮らす現代の遊牧民（ノマド）を描いた映画『ノマドランド』でアカデミー賞監督賞を受賞した。アジア人女性が監督賞を受賞するのはアカデミー史上初。女性としては２０１０年のキャスリン・ビグロー監督以来２人目になる。

ベネチア国際映画祭、トロント国際映画祭と各映画祭で絶賛され、２０２１年４月25日の米アカデミー賞でも監督賞を受賞したクロエ・ジャオ監督作品『ノマドランド』が公開中だ。

『スリー・ビルボード』でアカデミー賞主演女優賞を受賞したフランシス・マクドーマンドが、経済破綻後のアメリカで、ＲＶ車に乗ってアメリカ中を旅しながら暮らす〝ノマド（遊牧民）〟を演じている。監督のクロエ・ジャオは、中国出身でアメリカで教育を受けた。公私のパートナーである撮影監督のジョシュア・ジェームズ・リチャーズとともに作り上げた『ノマドランド』には、経済大国アメリカが内包する一面と、広大な大地に沈む美しい夕陽が描かれている。

『ノマドランド』の公開以前に撮影が終了している次回作は、マーベル・シネマティック・ユニバースの『エターナルズ』（2021年公開予定）。いまハリウッド中が最も注目する女性監督、クロエ・ジャオに話を聞いた。

私はどこでもアウトサイダー

——あなたは中国の北京出身ですが、この映画を作るにあたり、アウトサイダー的視点は役に立ちましたか？　というのは、もしもアメリカ人の映画監督がこの映画を作っていたら、自己検閲が介入したかもしれないと思うからです。

ジャオ　この質問はよく聞かれますが、以前はとてもシンプルに答えていました。私はどこに行ってもアウトサイダーです。故郷である中国でも、と。しかし、重責を恐れているかもしれない側面は否定できません。たしかにアメリカ人監督だったら、ストーリーテリングの選択において、より多くのことを感じ、より多くの影響を受けたかもしれません。

ただ、どの文化にも〝西へ向かう〟物語がありますよね。中国には、『西遊記』という偉大な古典文学があります。私は東側の北京に住んでいましたが、子どもの頃からモンゴルに行くのが好きでした。モンゴルの奥地で、馬やそこに住む人びとと一緒に過ごすのです。このような憧れは、中国にもあるし、世界中の大都市にもあると思います。

――この映画は多かれ少なかれ、あなた自身もノマドであるという根源を表現していると思いますか？

ジャオ　私見ですが、この先にある地平線を常に探し求めることが、アメリカという国を形成しているのだと思います。この国が物理的にどのように構成されているかという背景だけでなく、すべてのアメリカ人の心の中にあるものだと思うのです。

私の場合、個人的なレベルでは、自分自身を探すことでもあります。それは〝旅の遺産〟の一部です。

私たちが旅に出るのは、自分らしさを定義するものが消えてしまったからかもしれない。悲劇でそれを失ったのかもしれないし、いまの自分を自ら捨てようと決めたのかもしれない。自分自身を見つけ、ニュートラルなレベルで他人とつながるために旅に出るのだと思います。

――「人びとを理解するためには、その地域の出身者でなければならない」と言われることがありますが、この場合、あなたはどこの地域に当てはまりますか？

ジャオ　おそらく、私の答えはみなさんを驚かせるものではないと思います。私は、自分が何者かと聞かれたら、まず第一に、人間だと答えるでしょう。

ありきたりに聞こえるかもしれませんが、共通点のない人と関係を持つことが可能だということを、私たちは今まで以上に自分自身に言い聞かせなければならないと思います。そして、これまで以上に重要なことは、私が共通点のない人たちと関係を持とうとしていることです。

そうは言っても、私が他のコミュニティーに行き、そのコミュニティーについての映画を作ることは、彼らとのコラボレーションに大きく依存しています。だからと言って、そのコミュニティーについて語るときに、払わなければならない敬意や信憑性に責任を持つべきだと言っているのではありません。純粋に知的な会話ができれば、私たちはお互いの物語を伝えることができるし、すべきだと思います。それが世界をより良い場所にすると信じています。

——もう家賃や住宅ローンにお金を使わない、ノマドたちのようなライフスタイルの美しい利点とは何でしょうか?

ジャオ　多くの場合、苦難は美談にもなり得ます。両者は密接に結びついています。厳しい環境に物理的にさらされるのはつらいことです。バンの壁はあまり厚くありません。嵐の音や寒さや暑さを防ぐことはできません。ガラガラヘビが庭に近づくことも防げません。

しかし同時に、人間は自分が生まれた場所、つまり土や自然、雑草、それらの一部であるような場所と切り離しては考えることができません。それは自分自身を謙虚にします。自分が何か大きなものの一部であることを感じます。

だから、路上で生活しているときは、これまで以上に自分が自然の一部であると感じられるので、夕陽に感謝しました。しかし、太陽が沈むとすぐに寒くなります。決して完璧な生活ではないのです。

テレンス・マリック作品に恋をした

——映画監督になろうと思ったきっかけは？　そしてどんなものに影響を受けてきたのでしょうか。

ジャオ　まず、ウォン・カーウァイ監督の『ブエノスアイレス』という作品を挙げたいと思います。この映画を初めて観たとき、とても衝撃を受けたことを覚えています。そして、私もあんな映画を作りたいと思いました。

それから、テレンス・マリック監督の作品に恋をしました。彼の作品は、視覚的な面だけでなく、映画製作の哲学にも大きな影響を与えてくれました。また、人としても、映画監督としての問いかけや、世界観の構築の方法などにも影響を受けました。彼がいなければ、今の私はなかったと思います。

――フランシス・マクドーマンドが演じたファーンのキャラクターは、彼女自身でもあり、フィクションのキャラクターとの融合でもあるのでしょうか。

ジャオ　アマゾンで季節労働者として働いたり、ネバダ州エンパイアという消えてしまった町の出身であるというのはフィクションのキャラクターの部分です。原作の本では、妹との関係や、元夫への想いや、亡き夫のコミュニティーへの愛着に疑問を感じていることなど、ファーンにとってより個人的なことが描かれています。

旅に出たいという気持ちは、フラン（フランシス・マクドーマンド）自身が人生のなかでずっと持っていたものです。フランは最初のミーティングで、「65歳になったら自分をファーンと呼び、ラッキーストライクを吸ってワイルドターキーを飲み、RV車で旅に出る」と言っていました。それが〝ファーン〟という名前の由来です。紅葉の絵がついたお皿は彼女のお父さんからの卒業記念品で、とても大切にしていました。

最高の俳優に演じてもらったにもかかわらず、ファーンを作り上げる作業は、フィクションとノンフィクションの融合のように感じました。フランが完全に別の誰かに変身できることも知っていました。ですが、私にとってもフランにとっても、ファーンというキャラクターを作るうえで、それはあまり面白いアイデアだとは思えなかったのです。

自分の居場所を求めて

――この映画を作った経験によって、あなた自身はどんな影響を受けましたか？

ジャオ　どの映画を作る際も、運が良ければ人間として成長できたらいいなと思っていました。『ノマドランド』は人間として最も成長できた作品だと思います。私は若い人たちにとっての〝道〟しか知りませんでした。この映画に出てくるノマドたちのように、人生の黄昏時に旅に出る人たちがどんな感じなのか知る由もありませんでした。

私は無神論者として育ち、特定の宗教心はありませんが、年を重ねるごとに、自分の居場所はどこにあるのかという不安を感じるようになりました。私は、この映画を作るまでは、別れを恐れることはありませんでした。

ですが、ある場所に行き、荷物をまとめて出発し、ある場所で人びとと親しくなり、また荷物をまとめて出発する。それを5ヵ月間続けるうちに、感情的に磨り減って、落ち込んでいました。

そして最後に、ボブ・ウェルズが話す場面を撮影しました。彼は「さよなら」という言葉は使いません。そのかわり、「また路上で会おう」という表現を好みます。実際に会うことはおそらくないのですが。それが彼にとってどんな意味を持つかは別として、他の人にとっては神の存在を信じたり、スピリチュアルに感じたりしているかもしれません。私は彼が言った言葉を信じ、気持ちを立て直して、別れることができました。

私たちはみんな、何か大きなものの一部であり、どこかでつながっている。この考えには、特にパンデミックが起こった今、とても癒やされています。この映画製作を体験し、ボブのような人にこの言葉をかけてもらえたことは、つくづく幸運だったと思っています。

N.D.C.302 253p 18cm
ISBN978-4-06-525804-0

講談社現代新書 2633

不安《ふあん》に克《か》つ思考《しこう》 賢人《けんじん》たちの処方箋《しょほうせん》

二〇二一年九月二〇日第一刷発行

編者 クーリエ・ジャポン

発行者 鈴木章一

発行所 株式会社講談社
東京都文京区音羽二丁目一二—二一 郵便番号一一二—八〇〇一
電話 〇三—五三九五—三五二一 編集（現代新書）
〇三—五三九五—四四一五 販売
〇三—五三九五—三六一五 業務

装幀者 中島英樹

印刷所 豊国印刷株式会社

製本所 株式会社国宝社

本文データ制作 講談社デジタル製作

定価はカバーに表示してあります Printed in Japan

「講談社現代新書」の刊行にあたって

教養は万人が身をもって養い創造すべきものであって、一部の専門家の占有物として、ただ一方的に人々の手もとに配布され伝達されうるものではありません。

しかし、不幸にしてわが国の現状では、教養の重要な養いとなるべき書物は、ほとんど講壇からの天下りや単なる解説に終始し、知識技術を真剣に希求する青少年・学生・一般民衆の根本的な疑問や興味は、けっして十分に答えられ、解きほぐされ、手引きされることがありません。万人の内奥から発した真正の教養への芽ばえが、こうして放置され、むなしく滅びさる運命にゆだねられているのです。

このことは、中・高校だけで教育をおわる人々の成長をはばんでいるだけでなく、大学に進んだり、インテリと目されたりする人々の精神力の健康さえもむしばみ、わが国の文化の実質をまことに脆弱なものにしています。単なる博識以上の根強い思索力・判断力、および確かな技術にささえられた教養を必要とする日本の将来にとって、これは真剣に憂慮されなければならない事態であるといわなければなりません。

わたしたちの「講談社現代新書」は、この事態の克服を意図して計画されたものです。これによってわたしたちは、講壇からの天下りでもなく、単なる解説書でもない、もっぱら万人の魂に生ずる初発的かつ根本的な問題をとらえ、掘り起こし、手引きし、しかも最新の知識への展望を万人に確立させる書物を、新しく世の中に送り出したいと念願しています。

わたしたちは、創業以来民衆を対象とする啓蒙の仕事に専心してきた講談社にとって、これこそもっともふさわしい課題であり、伝統ある出版社としての義務でもあると考えているのです。

一九六四年四月　野間省一